Este livro pertence a:

------------------------------

Direção de arte: Trini Vergara
Design: Marianela Acuña
Diagramação: Dora Murano
Tradução: Camila Bogéa
Revisão: Jussara Lopes

© 2008 Aníbal Litvin - Mario Kostzer

© 2008 V&R Editoras

© 2009 Vergara & Riba Editoras S/A

**www.vreditoras.com.br**

1ª reimp., maio 2013

Rua Capital Federal, 263
CEP 01259-010 | Bairro Sumaré | São Paulo | SP
Tel.| Fax: [55 11] 4612-2866 • editoras@vreditoras.com.br

ISBN 978-85-7683-449-6

Impressão e acabamento: WKT
Impresso na China • Printed in China

Dados Internacionais de Catalogação na Publicação (CIP)
(Câmara Brasileira do Livro, SP, Brasil)

Litvin, Aníbal
1.000 coisas inúteis que um garoto deveria saber antes de crescer
Aníbal Litvin, Mario Kostzer; [tradução Camila Bogéa].
São Paulo : V&R Editoras, 2009.
Título original: 1.000 cosas inútiles que un chico debería saber
antes de ser grande.
ISBN 978-85-7683-205-8

1. Humorismo - Literatura infanto-juvenil
I. Kostzer, Mario. II. Título.

09-05967                                                          CDD-028.5

Índices para catálogo sistemático:
1. Humorismo : Literatura infanto-juvenil 028.5
2. Humorismo : Literatura juvenil 028.5

# 1.000

## *coisas inúteis*

## QUE UM
## GAROTO
## DEVERIA
## SABER ANTES DE
## CRESCER

ANÍBAL LITVIN - MARIO KOSTZER

V&R
EDITORAS

Mais de 50% dos habitantes deste planeta
nunca fizeram ou receberam uma ligação
telefônica. Assim, não ligue para eles
e mantenha a estatística.

O crocodilo não pode pôr a língua para fora.
Ainda bem que também não pode fazer isso pelo
outro lado, senão seria um porco.

NA ALEMANHA, O SÍMBOLO @ (ARROBA) É CHAMADO DE
*KLAMMERAFFE*, QUE SIGNIFICA "RABO DE MACACO".

O chimpanzé é um sortudo:
vive em média 40 anos, dos quais,
22 dormindo ou descansando!

Até 1800, os sapatos tinham a mesma forma para
o pé esquerdo e direito. Talvez incomodassem,
mas podiam ser calçados no escuro.

### 6

A mosca *tsé-tsé* transmite a doença
do sono. Algumas professoras também,
quando explicam a matéria.

### 7

Tuvalu, um pequeno arquipélago independente
ao sul do oceano Pacífico, é o menor país
do mundo. Será que seus habitantes vivem todos
em uma mesma casa?

### 8

Se A é igual a B, logo, B é igual a A. Agora, se são
iguais, por que recebem nomes de letras diferentes?

### 9

**OS OSSOS HUMANOS CRESCEM ATÉ OS 21 ANOS.
PORTANTO, CRESÇA ENQUANTO É TEMPO!**

### 10

O rio mais extenso do mundo é o Nilo, na África.
E o mais barulhento é o Rin, na Europa.

Britney Spears começou sua carreira
de cantora em 1992, aos 11 anos,
no *The Mickey Mouse Club*.

A fêmea do mosquito é quem pica e chupa o
sangue. Talvez porque o macho esteja muito
ocupado no *happy hour* com os amigos.

Newton descobriu a Lei da Gravidade
quando uma maçã caiu em sua cabeça.
Já pensou se fosse uma melancia? Na certa ele
teria morrido e o mundo não seria o que é hoje.

Lamber o cotovelo é impossível
(a não ser que você tenha uma língua tão grande
quanto um cachecol).

Se o idioma oficial do Nepal é o nepalês, por que
o idioma de Portugal não é o *portugalês*?

**16**

O MP3 surgiu em 1993, com o nome
de *ISO MPEG Audio Layer 3*.
Ainda bem que ficou só *MP3*. Já pensou chegar a
uma loja e pedir um *ISO MPEG Audio Layer 3*?!

**17**

Quem primeiro pisou na Lua foi o americano
Neil Armstrong, em 1969. Lá ele disse a famosa
frase: "É um pequeno passo para o homem, mas
um grande salto para a Humanidade."
Ainda bem que ele não caiu!

**18**

As pessoas dizem "saúde" quando alguém espirra,
porque durante o espirro o coração para por um
milésimo de segundo. Que sorte não parar mais
que isso, senão morreríamos de espirro!

**19**

As aranhas conseguem viver sem
comida durante semanas.
Mas se você ficar com pena de alguma,
pode levar uma mosca para ela comer.

**20**

A montanha mais alta do mundo é o monte
Everest, com mais de 8.840 metros.
A mais baixa é a montanha de lixo que alguns
garotos escondem embaixo da cama para a mãe
não descobrir que eles são uns porcalhões.

**21**

Os campeões mundiais de futebol são:
Brasil, cinco vezes; Itália, quatro vezes;
Alemanha, três vezes; Uruguai e Argentina, duas
vezes. Inglaterra e França, só uma vez.

**22**

**O VALOR DE PI É 3,1416 (E NEM PENSE EM FAZER
PIADINHA COM PIPI OU ALGO PARECIDO).**

**23**

Os elefantes são os únicos animais que não podem
pular. Ainda bem! Do contrário, já pensou o
terremoto que causariam?

**24**

**OS TRÊS MOSQUETEIROS ERAM QUATRO:
ATHOS, PORTHOS, ARAMIS E D'ARTAGNAN.**

## 25

O jogador de futebol mais novo a marcar um gol
em uma Copa do Mundo foi Pelé, aos 17 anos, em
uma partida contra o País de Gales, em 1958.

## 26

Os egípcios foram os primeiros a medir
mais ou menos corretamente a duração do ano:
365 dias e um quarto. Antes, os anos podiam durar
quatro, cinco, seis meses...
Imagine as datas de aniversário!

## 27

Rômulo e Remo, fundadores de Roma, capital
da Itália, foram amamentados por uma loba.
Claro que se fosse a Pamela Anderson eles teriam
achado bem mais divertido...

## 28

Brad Pitt nasceu em 1963, em Oklahoma (EUA),
filho de Jane Etta Hillhouse, secretária de uma
escola secundária, e de William Alvin Pitt, dono
de uma empresa de caminhões.

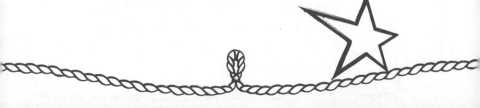

**29**

A distância de uma maratona
é 42.195 metros.
Quase o que você tem que correr do seu pai
depois de fazer algo errado.

**30**

O ÚNICO PAÍS QUE PARTICIPOU DE TODAS
AS COPAS DO MUNDO FOI O BRASIL.

**31**

A palavra *SPAM*, que significa lixo eletrônico,
é uma marca comercial de um enlatado
de carne de porco moída *(Spiced Ham)*.
Eca! Que porcos!

**32**

John Montagu (1718-1792), conhecido como
o 4º Conde de Sandwich, inventou o sanduíche.
Que sorte alguém ter inventado isso!
Do contrário, não saberíamos
como comer um hambúrguer.

**33**

PARA FICAR ACORDADO, COMER UMA MAÇÃ
É MAIS EFICAZ QUE TOMAR UM CAFÉ.

Mercúrio é o planeta com temperaturas
mais extremas, que passam de 420°C a -185°C
em um único dia, ou seja, uma variação de 600°C
(não se esqueça de levar um casaco para a noite).

Quando os conquistadores ingleses chegaram à
Austrália, ficaram impressionados com aqueles
bichos esquisitos, que davam saltos inacreditáveis.
Quando perguntaram a um nativo o nome do
animal, ele respondeu: "kan ghu ru", o que
originou o vocábulo inglês *kangaroo*. Tempo depois,
os linguistas descobriram que *kan ghu ru*
significava "não te entendo".

O país com mais habitantes no mundo é a China.
Calcula-se que se todos os chineses dessem as
mãos, dariam quatro voltas no mundo. Lógico que
eles não fazem isso porque estão ocupados com o
trabalho, os estudos ou passeando por aí.

Se um garoto soltasse puns sem parar durante
seis anos e nove meses, produziria gás suficiente
para criar uma bomba atômica.
Alguns dos seus não são bombas,
mas bem que podem matar quem estiver
por perto, não é verdade?

Bater a cabeça contra a parede gasta 150 calorias
por hora. É perfeito para emagrecer... e quebrar
a cabeça. Mas veja bem: não recomendamos esse
método para nenhum dos casos!

Uma pulga pode saltar uma distância
equivalente a 30 vezes o tamanho do seu corpo.
É como se um humano saltasse a distância
de um campo de futebol!

Se todo número multiplicado por zero
é igual a zero, então para que perder tempo
multiplicando por zero?!

**41**

Miguel de Cervantes e William Shakespeare,
considerados os maiores expoentes da literatura
hispânica e inglesa, respectivamente, morreram
no dia 23 de abril de 1616 (mas não aproveitaram
para economizar, fazendo um funeral só...).

**42**

A cidade mais populosa do mundo
é Tóquio, capital do Japão, com quase
30 milhões de habitantes.

**43**

THOMAS ALVA EDISON TINHA MEDO DO ESCURO.
A SORTE DELE FOI INVENTAR A LÂMPADA ELÉTRICA.

**44**

As ratazanas procriam tão rápido que,
em 18 meses, um casal desses roedores pode ter
até um milhão de filhotes (mas não têm tempo
de dar nome a cada um deles).

**45**

OS COALAS PODEM PASSAR A VIDA
TODA SEM TOMAR ÁGUA.

### 46

Os aviões Jumbo já transportaram
o equivalente a um milhão e seiscentos mil
passageiros de ida e volta à Lua.
E pensar que você às vezes consegue
ir até lá, seja em casa ou no colégio,
sem viajar tanto, hein?!

### 47

Uma pessoa comum ri
aproximadamente quinze vezes por dia.
Provavelmente não é o caso de sua mãe,
que deve chorar quinze vezes por minuto
ao ver suas notas escolares.

### 48

É possível fazer uma vaca subir uma escada,
mas não descer.
Ainda bem que existe elevador...

### 49

A palavra "cemitério" vem do grego *koimeterion*,
que significa "dormitório". De qualquer forma,
preferimos dormir na nossa cama, não é mesmo?

Multiplicando 111.111.111 x 111.111.111 temos
12.345.678.987.654.321. Alguém sabe para que serve isso?

O deus grego mais importante era Zeus, que vivia
com outros deuses no monte Olimpo. Será que
eles não ficavam meio apertados lá em cima?

O eclipse solar acontece quando a Lua fica entre a
Terra e o Sol. Intrometida ela, não?!

O livro mais famoso do escritor
Gabriel García Márquez é *Cem anos de solidão*.
O que não quer dizer que ele tenha passado
sozinho todo esse tempo para escrevê-lo.

O maior cestinha numa partida da NBA foi Wilt
Chamberlain, com 100 pontos.
E pensar que às vezes não emplacamos nenhuma
resposta nas provas de História ou Matemática!

**55**

O ator Tom Hanks ganhou dois
Oscar consecutivos por sua atuação em
*Filadélfia* e *Forrest Gump*. Essa performance
nem se compara à atuação de alguns garotos
pedindo desculpas à mãe quando
aprontam alguma.

**56**

A famosa Guerra dos 100 Anos durou na
verdade 116 anos. Pelo jeito, naquela época as
pessoas não contavam muito bem.

**57**

O escritor Julio Cortázar escreveu *O jogo da
amarelinha*, mas parece nunca ter brincado disso.

**58**

Alexander Graham Bell foi o inventor
do telefone. Mas não podia ligar para
muita gente naquela época...

## 59

Em 1975, Bill Gates fundou a Microsoft,
que nos permite, entre outras coisas,
jogar no computador.
Santo Bill Gates!

## 60

A banheira Jacuzzi foi inventada pelo italiano
Candido Jacuzzi. Se seu sobrenome fosse Leite, os
banhos de jacuzzi seriam banhos de leite.

## 61

A palavra "bobo" vem do latim *balbus*, que
significa "balbuciante". Entendeu, balbuciante?

## 62

Na necrópole de Gizé, no Egito, encontram-se
as pirâmides de Quéops, Quéfrem e Miquerinos.
Lá também podemos encontrar muita gente
morrendo de medo de topar com alguma
múmia ressuscitada.

## 63

**A CAPITAL DOS ESTADOS UNIDOS É WASHINGTON,
ONDE FICA A CASA BRANCA.**

**64**

O NOME DO JOGADOR ALEXANDRE PATO
É NA VERDADE ALEXANDRE RODRIGUES DA SILVA,
NASCIDO NA CIDADE DE PATO BRANCO, NO PARANÁ.

**65**

O planeta mais distante do sistema solar foi
descoberto em 2004 e se chama Sedna. Onde será
que ele estava antes, que ninguém o via?

**66**

Quem inventou a pipoca foram
os índios americanos.
E olha que eles nem iam ao cinema!

**67**

Numa partida de futebol, o único jogador que pode
usar as mãos é o goleiro. Os demais costumam
usá-las para se pegarem na porrada.

**68**

O militar e governante francês Napoleão
Bonaparte media 1,65m. Ele quis ser jogador
de basquete, mas, baixinho, teve que se
contentar com o posto de general e conquistador
de quase toda a Europa.

**69**

A capital da França é Paris,
a da Espanha é Madri, e a do Principado
de Liechtenstein é Vaduz.

**70**

Os astecas também eram conhecidos como
mexicas, por isso aquela região recebeu o nome
de México. E se tivessem vivido no Brasil, será
que se chamariam "braxicas"?

**71**

A Revolução Industrial começou na Inglaterra.
As pessoas deixaram de se matar de trabalhar
no campo para se matar nas fábricas.

**72**

O maior animal do mundo é a baleia-azul.
O que você acha de tê-la em casa como
bicho de estimação?

**73**

Os números romanos eram formados por letras.
Curiosamente, as letras romanas não eram
formadas por números.

**74**

As cores primárias são amarelo,
vermelho e azul; já as cores
secundárias são muitas.
Quais? Ora, pare de encher linguiça
e ponha a cachola para funcionar!

**75**

O LEITE É UM DOS ALIMENTOS MAIS COMPLETOS.
COM BISCOITOS, ENTÃO, FICA MELHOR AINDA!

**76**

*A cura para insônia* (1987) é o filme
mais longo já feito, com duração de 87 horas.
Até hoje ninguém conseguiu vê-lo inteiro:
não teve um que não dormisse.

**77**

O animal mais rápido do planeta é o
falcão-peregrino: pode chegar a 300 quilômetros
por hora. O problema é que ninguém consegue
alcançá-lo para dar-lhe os parabéns.

**78**

Lima, capital do Peru, é banhada pelo rio Rimac.
Se a cidade se chamasse Rima, faria mais sentido.

O irídio é o metal mais pesado.
Se enchêssemos de irídio uma garrafa
de um litro, ela pesaria mais de 22 quilos.
Agora não vá inventar de beber da garrafa!

ONU é a sigla da Organização
das Nações Unidas. Poderia ser também
a sigla da Organização dos Narigões Unidos.
Só que eles não podem ficar juntos, pois
bateriam com os narizes o tempo todo.

Os gatos não se sentem atraídos
pelos sabores doces. Assim, dê-lhes peixe
ao invés de balas e bombons.

O milho é uma planta monocotiledônea.
O que quer dizer isso? Nem nós sabemos!
Pode ir procurar no dicionário!

**83**

O Ford T foi lançado em 1908 pela fábrica de
automóveis Ford, e custava 200 dólares. Hoje esse
dinheiro mal dá para comprar uma bicicleta!

**84**

O tubarão-baleia é o maior peixe do mundo.
Ele pode comer um homem inteiro.

**85**

A capital da Argentina é Buenos Aires.
De tão poluída, o que menos se sente
por lá são *buenos aires*.

**86**

Na China, menores de idade só
podem jogar videogames on-line 3 horas
por dia, para não viciar.

**87**

**OS CAVALOS PODEM DORMIR EM PÉ,
SEM CAIR (E SEM TRAVESSEIROS!).**

**88**

A palavra "irmão" vem da palavra germana *frater*.
Tem cada *frater* tão chato...

**89**

A Groenlândia é a maior ilha do mundo.
Mas com o frio terrível que faz lá, não
compensa ir para conferir.

**90**

Para a ciência, o papel do bocejo no
comportamento humano ainda é um mistério.
O que já se sabe é que sempre aparece quando
uma festa de família está muito chata.

**91**

O besouro-joia é capaz de detectar incêndios
a 80 quilômetros de distância. O problema é que
ele não sabe como chamar os bombeiros!

**92**

Os polvos têm três corações.
Uma namorada para ele, então, é moleza!
Ainda sobrarão dois corações inteiros!

## 93

A rainha Isabel I da Inglaterra tinha fobia
a rosas. A coisa era tão séria que ela fugia
até de mulheres com esse nome.

## 94

O inseto mais comprido do mundo é o bicho-pau,
da ordem das *pharmidas*, com cerca
de 30 centímetros. Preferimos as formigas,
menores e mais fáceis de pisar.

## 95

**A TORRE EIFFEL FOI PROJETADA INICIALMENTE PARA
A CIDADE DE BARCELONA E NÃO PARA PARIS.**

## 96

O nosso Sol está completando a metade
de sua vida: 4,8 bilhões de anos. Depois desse
mesmo período de tempo se transformará numa
estrela anã-branca. Das duas uma: ou mudamos
de planeta ou morremos de frio.

## 97

Adeus em italiano é *arrivederci*. É tão demorado
dizer *arrivederci*, que os italianos nunca vão embora.

### 98

O REI DE ESPADAS É O ÚNICO REI SEM BIGODE. ELE
TINHA ACABADO DE SE BARBEAR NA HORA DA FOTO.

### 99

As formigas podem levantar até 50 vezes o seu
peso. E olha que não existem formigas gordas,
porque senão... levantariam um carro!

### 100

O coração do beija-flor chega a duas mil pulsações
por minuto. Quando um médico examina
um beija-flor, o estetoscópio explode!

### 101

Uma bomba de hidrogênio é mais
potente que uma bomba atômica de urânio.
Por via das dúvidas, não invente
de fazer isso em casa.

## 102

As sopas de letrinhas do Havaí devem
matar qualquer um de fome: o alfabeto
havaiano tem só 12 letras!

## 103

O videogame que vendeu mais rápido foi o
*Play Station 2*: sete unidades por segundo!

## 104

**A PALAVRA "IMBECIL" SIGNIFICA "AQUELE QUE DENOTA
INTELIGÊNCIA CURTA OU POSSUI POUCO JUÍZO".**

## 105

O peixe mais rápido do mar é o peixe-vela, que
chega a 109 quilômetros por hora. Com essa
velocidade é difícil que ele acenda.

## 106

O filme *Rei Leão* é inspirado na tragédia
shakespeariana de Hamlet, que tem o mesmo
enredo, só que com pessoas (e sem o Pumba
soltando peidinhos).

**107**

A luz viaja a 300.000 quilômetros por segundo.
Achamos que deve ser difícil
alcançá-la de bicicleta.

**108**

O maior animal que já existiu na Europa foi
provavelmente o saurópode. Ele media 36 metros.
Na certa se limpava com a copa das árvores,
quando fazia cocô.

**109**

O menor osso do corpo humano mede apenas 2,5
milímetros. Seu nome é estribo e fica no ouvido.
ESCUTOU?

**110**

As cataratas do Niágara são as mais caudalosas
da América do Norte. É melhor nem pensar em
tomar banho embaixo delas.

**111**

Em Saturno há um hexágono no qual caberiam
quatro planetas do tamanho da Terra.
Já temos problemas demais com uma Terra
só para querer quatro.

**112**

Embaixo do continente asiático há um mar subterrâneo gigante. Mas não dá para vê-lo porque ele é muito tímido.

**113**

A POPULAÇÃO DA REGIÃO METROPOLITANA DE TÓQUIO É QUASE A MESMA DE TODA A ESPANHA.

**114**

A empresa japonesa Nintendo, quando começou, fabricava baralhos. Ainda bem que inventou os joguinhos, senão estaríamos jogando cartas com *joystick*.

**115**

AS DEZ MONTANHAS MAIS ALTAS DO MUNDO ESTÃO NA ÁSIA. FOMINHAS!

**116**

Existem mais de seis mil idiomas no mundo.
Seis mil línguas! Sem contar a que alguns meninos
mostram para o irmão, tirando sarro da cara dele.

**117**

O músico Wolfgang Amadeus Mozart foi
considerado um menino prodígio por tocar cravo
(uma espécie de piano) aos três anos e compor
obras musicais ao longo da infância e da
adolescência. O que é um menino prodígio? O
contrário da maioria dos seus amigos.

**118**

O *Chaves* é uma criação genial de Roberto Gómez
Bolaños. Já pensou se ele não tivesse tido essa
sacada? Hoje alguns canais de televisão estariam
apertados para preencher a programação.

**119**

Burundi é um país africano que nunca ganhou
uma Copa do Mundo, porque nunca participou de
nenhuma. Vai saber onde o cara que vende
bandeirinhas guarda todas elas.

## 120

A fossa das Marianas, no oceano Pacífico,
é a fossa marinha mais profunda que existe:
tem 11.000 metros de profundidade.
Melhor mergulhar numa piscina.

## 121

Os bonsai são árvores anãs.
Em japonês, o termo significa literalmente
"pequena árvore em vaso de bordas baixas".

## 122

A maior palavra do português é
"pneumoultramicroscopicossilicovulcanoconiótico".
Outra grandinha seria
inconstitucionalissimamente. Mas quando
um garoto apronta das suas, a mãe pode
inventar outra ainda maior:
"voltaaquimoleeeeeeeeeeeeeeeeeeeeeeeeeeeeeeeque".

## 123

O MAR MORTO É UM LAGO. MAS ELE NEM SE DÁ CONTA
DISSO, PORQUE, COITADINHO... ESTÁ MORTO.

**124**

O planeta Urano tem anéis como os de Saturno.
Será que não foram pedidos emprestados?

**125**

O recorde mundial dos 100 metros está em
menos de dez segundos. E olha que eles correm
sem nenhum foguete no traseiro.

**126**

A lontra come o equivalente a 25% do seu peso;
é como se um homem de 80 quilos comesse
100 hambúrgueres por dia. Até que seria
uma boa virar lontra!

**127**

Uma vez a cada 28 anos o mês de fevereiro tem
cinco sábados. Esse dado é impressionante! Conte
isso para os seus amigos e veja como eles ficarão
boquiabertos e cairão na gargalhada!

**128**

O *QUAC* DE UM PATO NÃO FAZ ECO.
E NINGUÉM SABE POR QUÊ.

## 129

**O PLANETA VÊNUS NÃO TEM LUAS.
POBREZINHO... ELE DEVE SE SENTIR TÃO SOZINHO...**

## 130

Se um orangotango arrota, significa que devemos
ficar fora do seu território. Agora, o seu irmão,
com um refrigerante na mão, ganha facilmente
de qualquer orangotango.

## 131

**O DESERTO DO SAARA FICA NO NORTE DA ÁFRICA.
AI, AI, SÓ DE FALAR JÁ DEU SEDE!**

## 132

O verdadeiro nome do ator Tom Cruise
é Thomas Cruise Mapother IV. Se o nome dele
fosse Tom Mapother talvez não se tornasse
tão conhecido e até gozassem a cara dele.

## 133

A palavra "candidato" vem do latim *candidus*
(branco, puro), pois na Roma antiga os candidatos
a cargos públicos vestiam-se de branco durante a
candidatura. Será que é por isso que os políticos
daqui não usam essa cor?

**134**

A voz em inglês do personagem Shrek
é do ator Mike Myers. Mas ele não teve que pintar
a cara de verde para fazer o trabalho.

**135**

Pentakismyriohexakisquilioletracosiohexaconta-
pentagonalis é como se chama um polígono de
56.645 lados. E não nos peça para repetir porque só
de escrever já nos cansamos.

**136**

O maior oceano é o Pacífico.
Se você usasse toda a água dele, talvez
tirasse esse sebo das orelhas.

**137**

Segundo pesquisadores americanos,
os videogames de ação melhoram a percepção
visual. Conte logo isso para a sua mãe! Quem sabe
assim ela para de implicar com você.

**138**

A LUZ DEMORA UM SEGUNDO PARA VIR DA LUA
ATÉ A TERRA. QUE IMPONTUAL!

**139**

**OS URSOS-POLARES SÃO CANHOTOS.**
**PERFEITOS PARA JOGAR FUTEBOL!**

**140**

A primeira calça jeans foi feita em 1850,
por um alfaiate alemão chamado Levi Strauss.
Então o que será que os caubóis de lá
usavam nessa época? Saias?

**141**

**O LIVRO *GUINNESS* REÚNE**
**TODOS OS RECORDES DO MUNDO.**

**142**

A máquina de datilografar
foi inventada em 1867. O teclado era
muito parecido com o dos computadores
de hoje... só que mais simples, claro.

**143**

O menor mamífero do mundo
é o musaranho-anão: mede quatro
centímetros e pesa menos de cinco gramas.
Existem baratas maiores que ele!

**144**

Na Irlanda, o número de vacas é maior que o dobro do número de habitantes: há oito milhões de vacas e apenas três milhões de pessoas. Por que não colocam uma vaca para presidente, já que há tantas?

**145**

Uma tempestade elétrica acontece quando, além de chuva, há raios e relâmpagos. Alguns garotos têm tanto medo que chegam a sujar as cuecas com... Eca! Nem vamos dizer, porque é muito nojento.

**146**

Cambises foi um grande rei do Império Persa antigo. Falamos nisso porque ultimamente ninguém se lembra dele, coitado...

**147**

A formiga, quando morre intoxicada ou envenenada, cai sempre para o lado direito. Que monótono, cair sempre para o mesmo lado!

## 148

Os esquimós se cumprimentam esfregando
o nariz contra o nariz do outro.
É bom que não escape nenhuma melequinha!

## 149

A China faz fronteira com 16 países diferentes.
Não vamos dizer quais, porque senão levaremos
meio livro escrevendo.

## 150

O gorila, quando está com fome, põe a língua
para fora. Ou você esperava que ele chamasse
o garçom para trazer a comida?!

## 151

O cabelo humano cresce um centímetro
por mês. Ou seja, se quiser deixar o cabelo
crescer, espere um ano ou mais.

## 152

Uma nuvem pode chegar a 25 quilômetros de
espessura. A nuvem dos seus puns, nem tanto
(embora seja mais terrível que uma tempestade).

**153**

OS MOSQUITOS TÊM DENTES. AGORA ESTÁ EXPLICADO
POR QUE A PICADA DELES DÓI TANTO!

**154**

A história do Frankenstein foi escrita
por uma mulher, Mary Shelley. Não sabemos
se ela foi realmente a namorada dele.

**155**

No deserto do Saara nevou apenas uma vez:
no dia 18 de fevereiro de 1979. Ainda bem
que não estávamos lá, pois com certeza
não teríamos levado agasalho.

**156**

As mandíbulas de um tubarão-branco podem
fazer uma pressão de três toneladas por
centímetro quadrado. Se você não entender
este dado, nem pense em procurar um
tubarão-branco para fazer o teste.

**157**

Um cabelo pode ficar no máximo seis anos na
cabeça, antes de cair. Menos nos carecas.

### 158

Em Netuno, os ventos sopram
a 2.400 quilômetros por hora. Quando você estiver
por lá, cuidado ao cuspir: os ventos podem fazer
com que o cuspe dê uma volta completa
no planeta e acabe caindo na sua nuca.

### 159

O Uruguai foi o primeiro Campeão Mundial de
Futebol, em 1930. Tem gente que acha que nessa
época o futebol nem existia.

### 160

A sidra é uma bebida alcoólica feita de maçã.
Mas não com a maçã envenenada da Branca de
Neve, senão ninguém a beberia.

### 161

O Sol libera mais energia em um segundo
que a energia consumida pela humanidade
desde o seu surgimento. Olha o desperdício!

### 162

O ser humano pertence à espécie
*Homo sapiens*. Mas alguns homens
lembram mais os *Neandertais*.

 **163**

A seiva das árvores é usada para fazer o papel.
Porém, muitos papéis juntos não
fazem nenhuma árvore.

 **164**

O jeito mais fácil de distinguir
um animal carnívoro de um herbívoro
é pela localização dos olhos. Os carnívoros –
cachorros, leões – os têm na frente da cabeça,
o que ajuda a localizar o alimento; já os
herbívoros – aves, coelhos – os têm nas laterais,
para detectar um possível predador.
Quanto a nós, temos olhos que dão voltas
quando nossa mãe faz aquele bolo
que a gente adora.

 **165**

**UMA PESSOA PISCA APROXIMADAMENTE 25 MIL VEZES
POR SEMANA. E NEM FICA CANSADA!**

 **166**

O forno de micro-ondas surgiu quando
um pesquisador estudava as ondas
eletromagnéticas e notou que elas tinham
derretido o chocolate que ele trazia na maleta.

### 167

O material mais resistente
da natureza é a teia de aranha.
É por isso que o Homem-Aranha não cai
quando salta de um prédio para outro.

### 168

Einstein nunca foi bom aluno, e com nove anos
nem falava direito; seus pais achavam que ele
tinha algum problema mental.

### 169

O oceano Atlântico é mais salgado que o Pacífico.
Mas você não precisa fazer uma viagem de uma
costa a outra só para conferir.

### 170

O elefante é o único animal com quatro joelhos.
Ainda bem que não tem que usar joelheiras,
pois sairia muito caro.

### 171

Os americanos gastam mais com comida
de cachorro que com comida de bebê.
Mas não dão essa comida para os bebês!

## 172

É fisicamente impossível para os porcos olhar para o céu. É por isso que eles não compram óculos de sol.

## 173

**PARA SER PRESIDENTE É PRECISO SER MAIOR DE IDADE. É POR ISSO QUE OS PAÍSES ESTÃO DO JEITO QUE ESTÃO.**

## 174

A cidade de Buenos Aires tem a única escultura do mundo dedicada a Chapeuzinho Vermelho. Para o lobo e a vovozinha, nada!

## 175

**70% DA MASSA DO CORPO HUMANO É COMPOSTA DE ÁGUA. E NÃO NOS AFOGAMOS!**

## 176

Quando os astronautas pisaram na Lua pela primeira vez, ficaram assombrados com o incrível azul da Terra. Isso é por causa dos oceanos, não porque estava pintada dessa cor.

### 177

Michael Jordan é o jogador de basquete
com melhor média de pontos por partida da NBA:
31,5 pontos por jogo. Que craque!

### 178

**O MAIOR PAÍS DO MUNDO É A RÚSSIA.**

### 179

Uruguai e Argentina são os únicos países que
ganharam duas vezes consecutivas a medalha de
ouro olímpica no futebol. O Uruguai,
em 1924 (Paris) e 1928 (Amsterdã); a Argentina,
em 2004 (Atenas) e 2008 (Pequim).

### 180

Os atlas têm esse nome porque
os primeiros exemplares tinham na capa
a gravação de um herói mitológico
chamado Atlas. Já pensou se ele
se chamasse Pafúncio?

**181**

Na época dos vice-reinados na América,
a cidade mais populosa era Potosí,
com 160.000 habitantes. O que tanta gente
fazia lá? Trabalhava nas minas para extrair
prata, o que é diferente de querer extrair
dinheiro do bolso do seu pai.

**182**

Mais de 90% da população mundial vive
no Hemisfério Norte. Então os que forem
para o Sul terão mais espaço para construir
a casa dos seus sonhos.

**183**

A palavra "silhueta" vem de
Étienne de Silhouette, intendente geral
do Tesouro francês em 1759, que adorava
fazer desenhos simples e rápidos.
Não sabemos se ele era gordo ou magro.

**184**

Nero, o imperador romano, mandou
queimar a cidade de Roma. Igualzinho a você,
que tem vontade de queimar suas provas,
quando tira nota baixa.

**185**

MAIS DA METADE DOS LAGOS DO MUNDO
ESTÁ NO CANADÁ.

**186**

A velocidade mais rápida atingida pelas naves
espaciais atuais é de 64.372 quilômetros por hora.
Vai ser difícil alcançá-las correndo.

**187**

A maioria dos filmes é feita em Hollywood.
É por isso que lá, ao cumprimentar alguém,
você nunca sabe se a resposta é verdadeira
ou pura encenação.

**188**

A LINHA DO EQUADOR DIVIDE A TERRA
EM HEMISFÉRIO NORTE E HEMISFÉRIO SUL.

**189**

A famosa biblioteca de Alexandria foi fundada
no ano 290 a.C. (antes de Cristo), por Ptolomeu I
Sóter, um dos generais de Alexandre Magno.
(Não sabemos se Ptolomeu chegou a ler todos
os livros que havia lá!)

**190**

Com 15 gols, Ronaldo Fenômeno
é o maior artilheiro de todas as Copas do Mundo.
Antes, o recorde era do jogador Gerd Müller.
O alemão anotou 14 gols em mundiais.

**191**

A probabilidade de cair um raio em
nossa cabeça é de uma em três milhões.
É preciso muito azar...

**192**

Antes de 1291, só existia o vidro colorido.
Era bem difícil saber se dentro de uma
garrafa havia água, vinho ou leite.

**193**

Frida Kahlo foi estudante
de medicina e grande pintora. Mas não
tinha nem feridas, nem calos.

**194**

A capital da Mauritânia, que fica na África, é
Nouakchott. Ao pronunciá-la, mantenha distância,
para não cuspir em quem estiver na sua frente.

Os bondes de São Francisco (Estados Unidos),
inaugurados em 1873, são considerados
monumentos históricos nacionais.

A Federação Internacional de Futebol Associação
(FIFA) foi fundada no longínquo ano de 1904.
No entanto, nessa época a bola já era redonda.

**OS *POWER RANGERS* SÃO BASEADOS NA SÉRIE
JAPONESA DE FICÇÃO CIENTÍFICA *SUPER SENTAI*.**

Graças à dieta rica em salmão e baixa
em colesterol, os inuítes, povo que habita a região
ártica da América do Norte e da Groenlândia,
raramente sofrem doenças cardíacas.
Corra e peça a sua mãe para comprar salmão.

A vespa parasitária da Tanzânia
é o menor inseto alado do mundo: ela é menor
que o olho de uma mosca comum.

**200**

Um objeto pesado leva cerca de uma hora para
afundar aproximadamente dez quilômetros, na
parte mais funda do oceano. O grandalhão do seu
tio faria a mesma coisa em cinco minutos!

**201**

Existem mais organismos vivos na pele
de um ser humano que seres humanos vivendo
no planeta Terra.

**202**

O May Day é o maior estádio do mundo.
Localizado na Coréia do Norte,
na cidade de Pyongyang, a arena comporta
150 mil torcedores. Pena que os norte-coreanos
são tão pernas-de-pau.

**203**

A palavra "eclipse" vem do grego *ékleipsis* e
significa "abandono". Não sabemos por que os
gregos inventaram essa palavra (mesmo porque
não conhecemos nenhum grego).

## 204

Hiparco de Nicéia foi o primeiro a usar um astrolábio. Essa informação serve para alguma coisa? Achamos que não, mas sabe-se lá se um dia você vai precisar dela.

## 205

Iugoslávia e França foi o primeiro jogo de futebol transmitido pela televisão, em 1954. Nesse mesmo dia aconteceu a primeira briga de casal, com a mulher dizendo "Será que não dá para desligar essa porcaria e vir ajudar na cozinha?".

## 206

Na imensidão do universo conhecido, uma das maiores estrelas é Mu Cephei, da constelação de Cefeu. Mas isso não quer dizer que ela não seja bonita...

## 207

O caracol de terra gigante africano pode medir até 39 centímetros da cabeça até a cauda. Mais que um caracol, parece uma vaca, de tão grande que é.

**208**

Os elevadores são a forma de transporte
mais segura que existe. Então, nas férias,
dê preferência a eles.

**209**

Em 4 de outubro de 1957 a ex-União Soviética
(composta pela Rússia e vários outros países)
enviou ao espaço o primeiro satélite artificial
da história, o Sputnik 1.

**210**

A deusa grega do amor e da beleza era Afrodite.
Os romanos chamavam-na de Vênus.
E também deram o nome de Vênus a um planeta.
Que coincidência!

**211**

Pelé é o único jogador
que ganhou três Copas do Mundo.

**212**

Na Índia, o manjericão é uma planta quase sagrada.
É chamada de *tulsi* e cultivada na maioria
das hortas caseiras, em um lugar muito especial.

**213**

Os relâmpagos podem medir até
48 quilômetros de comprimento. Não acredita?
Pois da próxima vez que relampejar, pegue
sua régua e meça para ver.

**214**

A palavra *slogan* é um termo inglês, que por sua
vez vem do gaélico. Sua forma original é *slaugh
gheun* (grito de combate dos velhos clãs escoceses).
Só para você entender: é como o Mel Gibson
gritava em *Coração valente*.

**215**

Os foguetes tripulados levariam 70.000 anos
para chegar às estrelas mais próximas.
Também, para que ter pressa?

**216**

A *Taenia solium* é um verme e se encontra em 700
milhões de intestinos humanos no mundo inteiro.
Você tem certeza de que não há nenhuma
aí dentro de você?

**217**

A velocidade máxima já atingida por uma bicicleta foi 268,6 quilômetros por hora, alcançada por Fred Rompelburg. Esse cara pedalava, hein?!

**218**

As girafas podem limpar as orelhas com a língua, que mede meio metro. Agora tente fazer igual!

**219**

Os dinossauros desapareceram há 65 milhões de anos. Se ainda existissem, em lugar de um cachorrinho teríamos um velociraptor como animal de estimação.

**220**

Um raio alcança uma temperatura maior que a da superfície do Sol. Por isso, não aconselhamos banhos de sol com a luz de um raio.

**221**

À noite, quando dormimos, ficamos
seis milímetros mais altos. Está explicado por que
às vezes é tão difícil caber na cama...

**222**

Nos Estados Unidos há mais de 1.250 milhões
de ratos. Incluído o Mickey, claro!
O Ratatouille não conta, porque vive na França.

**223**

A palavra "etcétera" vem do latim *et coetera*,
que significa "aquilo que falta, o resto".
Etcétera etcétera etcétera...

**224**

Estima-se que a temperatura no centro da Terra
seja de 5.500 graus Celsius. Melhor ficar aqui fora
mesmo, que é mais fresquinho.

**225**

Os tornados podem chegar a velocidades acima
de 483 quilômetros por hora. Por que 483 e não 480?
Quanta precisão!

**226**

Em 1862, o químico inglês Alexander Parkes criou
o primeiro plástico. Mas não fez nenhuma boneca.
Ele sabia fazer plástico, não bonecas!

**227**

O americano Jimmy Connors é uma
lenda do tênis mundial. Conquistou 109 títulos
e chegou a permancer 160 semanas consecutivas
no topo do ranking. Imagine quantas
raquetadas não teve que dar!

**228**

O corpo humano possui mais de mil enzimas
diferentes. E elas não estão enzima uma da outra.
Rá, rá, rá! (Que piadinha idiota... e ainda
com erro de ortografia, porque "estar em cima"
se escreve com "c".)

**229**

Em 1811, Amadeu Avogadro distinguiu pela
primeira vez as moléculas dos átomos.
Ao contrário de você, que às vezes não distingue
se está numa aula de História ou de Geografia.

**230**

O oceano Atlântico cresce todos os anos
três centímetros de largura. Se continuar assim,
um dia você vai levantar da cama e surfar nas
ondas do Atlântico dentro do seu quarto.

**231**

Uma rã venenosa adulta da espécie
colombiana Dardo Dorado tem veneno
suficiente para matar mil pessoas.
Que rã malvada!

**232**

Cada partícula de pó tem um trilhão de átomos.
Então, quando você se sujar de barro jogando
futebol ou ficar todo enlameado, lembre-se de que
está coberto de milhões de átomos.

**233**

Ao longo da vida, um coração humano bombeia
sangue suficiente para encher 100 piscinas. Mas
nem pense em tomar banho de sangue!

**234**

As minhocas possuem cinco pares de corações.
Para que insetos assim tão pequenos querem
tantos corações?

**235**

O primeiro cartão de crédito foi emitido em 1951,
quando o Diners Club criou um cartão para
200 clientes que poderia ser usado em 27
restaurantes de Nova York. O último foi
o que o meu pai deu para minha mãe para comprar
roupa e gastar além da conta.

**236**

O *poderoso chefão* ganhou o Oscar
de melhor filme em 1972. Era sobre mafiosos
que se matavam a tiros. E claro, se não
ganhassem o prêmio, armariam a maior confusão,
atirando para todos os lados.

**237**

UMA LIBÉLULA PODE VER INSETOS QUE SE MOVEM A
UMA DISTÂNCIA DE DEZ METROS. E SEM ÓCULOS!

**238**

A Lua está 400 vezes mais perto da Terra que
o Sol. E é exatamente 400 vezes menor que ele.
Será que você precisará ler esta informação
400 vezes para entendê-la?

**239**

A *ILÍADA* E A *ODISSEIA* FORAM ESCRITAS POR HOMERO.
FAVOR NÃO CONFUNDI-LO COM HOMER SIMPSON!

**240**

O "Q" é a única letra do alfabeto que não
aparece em nenhum nome de estado dos
Estados Unidos. Esta é uma informação
fundamental que acaba de mudar a sua vida.

**241**

Um quarto dos ossos do corpo humano
está nos pés. Para chutarmos melhor a bola.
Ou para corrermos quando aprontamos
alguma em casa.

**242**

Um homem chamado Charles Osborne teve
soluço durante 69 anos. E tentaram assustá-lo
dois milhões de vezes para passar.

**243**

Os morcegos quando saem da caverna
sempre viram para a esquerda.
Não nos pergunte se eles usam luz de seta.

**244**

As unhas das mãos crescem quase quatro
vezes mais rápido que as unhas dos pés.
Que bom, se não furaríamos um sapato
a cada dois meses...

**245**

Calcula-se que milhões de árvores no mundo
são plantadas acidentalmente por esquilos que
enterram suas nozes e esquecem onde as
esconderam. Você não acha que os esquilos
deveriam tomar um remedinho para a memória?

**246**

Os homens são seis vezes mais suscetíveis
de serem atingidos por um raio que as mulheres.
Como os raios são feministas!

**247**

O protagonista dos filmes do
Homem-Aranha se chama Tobey Maguire.
Mas para fazer o personagem não teve que
comer moscas nem mosquitos.

**248**

Na atualidade, mais de quatro mil satélites fazem
sua órbita em volta do nosso planeta. Daqui a
pouco vão ser tantos que podem até tapar o Sol!

**249**

"Estúpido" vem do latim *stupidu*.
Pelo visto já havia muitos estúpidos
naquele tempo.

**250**

O ator que interpreta o Seu Madruga,
da série *Chaves*, chama-se Ramón Valdés.

**251**

Existem organismos microscópicos capazes
de sobreviver em temperaturas de até 133 graus
centígrados. E sem protetor solar!

**252**

Os relógios-cuco não foram inventados
na Suíça, mas numa região da Alemanha
chamada Floresta Negra.

**253**

O secador de cabelos foi inventado na França,
em 1890, por Alexandre Godefoy.
Os secadores servem para duas coisas:
para sua mãe secar o cabelo e para acordar você
com o maldito barulho que fazem.

**254**

Ao longo do dia, caem sobre a Terra quase
dois mil raios, devido às tempestades elétricas.
E não fazem nenhum buraco!
Senão a Terra seria como um queijo suíço.

**255**

A Estação Espacial Internacional pesa cerca de
500 toneladas e tem as dimensões de um campo
de futebol. Mas lá eles não jogam futebol,
pois a bola iria para o espaço.

**256**

O leite em pó não é feito ralando
uma vaca, mas tirando a umidade
(do leite, não da vaca).

**257**

A sociologia é a ciência que estuda a estrutura
e o funcionamento das sociedades humanas.
Ela então deveria explicar o porquê de tanta
gente louca no seu bairro.

**258**

Um cartógrafo não é uma pessoa
que trabalha no correio, e sim um especialista
em desenhar mapas.

**AS USINAS HIDRELÉTRICAS FORNECEM 3% DAS NECESSIDADES ENERGÉTICAS DO MUNDO.**

Aos 85 anos um humano terá
caminhado 160 mil quilômetros.
E muitos não terão chegado a lugar algum!

Três planetas orbitam a estrela Upsilon
Andromedae, a 44 anos luz de distância.
Que tal pegar um foguete e ir para lá,
quando você estiver de mau humor?

Há claras evidências geológicas de que existiu água
no planeta Marte. Quem será que bebeu tudo?

Os ratos e os cavalos não podem vomitar.
Mas nós, sim, e temos uma vontade danada
de vomitar quando vemos um rato.

### 264

A primeira bicicleta foi fabricada em 1817.
E o primeiro galo também surgiu nesse
mesmo dia, ao primeiro tombo.

### 265

Na terra podem-se encontrar organismos
vivos até três quilômetros de profundidade.
Duvida? Então pegue uma pá
e comece a cavar!

### 266

O animal mais veloz na água é o peixe-agulha.
Ele pode nadar a 110 quilômetros por hora.
O difícil é conseguir pescá-lo!

### 267

O Sol leva aproximadamente 220 milhões
de anos para completar uma volta ao redor
da Via Láctea. Que lentidão!

### 268

O mosquito tem 47 dentes, o tubarão-baleia
tem mais de 4.500, e o peixe-gato tem 9.280.
Haja dinheiro para o dentista!

**269**

Os bebês não são trazidos pela cegonha, nem
vêm dentro de uma cesta. Na verdade, o papai
coloca uma sementinha na barriga da mamãe.
Como? Peça para os seus pais explicarem!

**270**

Sigmund Freud é o pai da psicanálise.
O que não se sabe ainda é quem é a mãe!

**271**

No núcleo do Sol, a cada segundo
600 milhões de toneladas de hidrogênio
se transformam em hélio. Pode acreditar!
Ou você quer ir até lá para comprovar?

**272**

O avestruz é a ave que põe os maiores ovos.
Pesam mais de um quilo. O que tem dentro?
Um avestruz-bebê ou uma vaca?

**273**

Se você espirrar muito forte pode quebrar
uma costela. Agora, se quebrar uma costela,
é provável que você não espirre, mas diga:
"Aaaaaaaaat... tá doendo!".

### 274

A maioria dos batons contêm escamas de peixe.
O dos palhaços – que se pintam tanto – deve ter
escamas de um peixe inteiro.

### 275

A urina dos gatos brilha com luz negra.
Ouviu bem? É a dos gatos! Nem pense em fazer
xixi com luz negra no meio da casa para ver
se brilha, porque se seus pais descobrirem, você
acabará brilhantemente de castigo no quarto.

### 276

Tal como as impressões digitais, cada língua é
única. É por isso que é tão bom mostrá-la sempre
ao seu irmão: para ver se é diferente da dele.

### 277

O primeiro ano de um cachorro equivale
a 21 anos humanos; cada ano canino posterior
é igual a quatro anos humanos.
Quando comemoramos o aniversário
de um cachorro, então?

**278**

Os olhos dos animais noturnos podem ver bem à noite devido a um composto branco na retina chamado "guanina". Essa substância cria uma superfície refletora que faz com que a luz seja refletida para frente, dando aos olhos uma segunda oportunidade de absorver a luz das imagens. O reflexo faz com que os olhos do animal pareçam brilhar no escuro. E tudo isso, enquanto estamos dormindo!

**279**

**O VOO MAIS LONGO QUE UMA GALINHA JÁ FEZ FOI DE 13 SEGUNDOS. E PODE TER CERTEZA DE QUE ELA FICOU CANSADA!**

**280**

Todos os cupins do mundo, juntos, pesam
dez vezes mais que todos os humanos juntos.

**281**

O planeta Saturno flutuaria se houvesse
um oceano grande o suficiente para isso.
Porque ele é leve como uma pluma,
apesar de ser tão grande.

**282**

A maior velocidade já registrada por um trem
foi de 515 quilômetros por hora, alcançada
pelo TGV francês. Os passageiros nem tiveram
tempo de sentar, pois quando pensaram nisso
já tinham chegado ao destino!

**283**

Os cavalos passaram a usar ferraduras na época do
Império Romano, com a pavimentação das ruas.
Já pensou se, em vez de ferraduras,
resolvessem usar sapatos?!

**284**

Os moinhos de vento sempre giram para
o lado contrário ao dos ponteiros do relógio,
exceto na Irlanda.

**285**

Há 3.000 anos, a maioria dos egípcios morria
por volta dos 30 anos. Ou seja, mal terminavam
a escola, já se aposentavam.

**286**

As pessoas usam mais escovas de dente azuis
que vermelhas. É melhor você escovar os dentes
regularmente, seja com escovas azuis
ou vermelhas, para não ficar banguela.

**287**

As corujas são as únicas aves que podem
ver a cor azul. Será que é para escolher
as escovas de dentes?

**288**

Os camelos têm três pálpebras para
se proteger das tempestades de areia.
Por que não usam óculos escuros?

## 289

A cratera formada por um meteorito chama-se
astroblema. Mas se vier um meteorito para
cima de você, não fique parado, olhando,
esperando um astroblema desses!

## 290

Uma toupeira pode cavar um túnel
de 100 metros de comprimento numa única noite.
E na noite seguinte descansa... senão morre
de cansaço, a coitadinha.

## 291

Os Três Patetas eram: Moe, Larry e Curly.
Quando Curly saiu, entrou Shemp. Tudo para que
os três patetas continuassem sendo três!

## 292

A Terra pesa algo em torno de
6.588.000.000.000.000.000.000.000 toneladas.
É preciso uma balança gigante para pesá-la.

## 293

Um hipopótamo pode abrir a boca o suficiente
para abocanhar uma criança de um metro e meio.
Que bocarra, hein!

**294**

Um beija-flor pesa menos que uma moeda.
O que não sabemos é quantas moedas temos que
juntar para comprar um beija-flor.

**295**

Os dentes humanos são quase tão duros como as
pedras. Só assim para mastigar todas as porcarias
que metemos na boca.

**296**

Quando a luz passa pela atmosfera terrestre,
as cores são desviadas e espalhadas em várias
direções pelas moléculas atmosféricas. A cor azul
é a que mais desvia, espalhando por todo o céu.
É por isso que vemos o céu azul.
Se você der essa informação numa
reunião familiar, pode ter certeza de que será
aplaudido de pé.

**297**

Woody Allen, ator e diretor de cinema,
deu a seguinte declaração: "O futuro me interessa
porque é o lugar onde vou passar o resto
da minha vida". Espertinho ele, não?

**298**

É proibido arrotar ou espirrar em alguns
lugares de Omaha, Nebraska, nos Estados Unidos.
Nossa resposta é... Burp!

**299**

**AO NASCER TEMOS 300 OSSOS, MAS NA
IDADE ADULTA TEMOS APENAS 206. VOCÊ PODE ME
DIZER PARA ONDE SERÁ QUE VAI O RESTO?**

**300**

Na Bulgária, os habitantes mexem a cabeça
de cima para baixo para dizer "não", e de um lado
para outro para dizer "sim".

**301**

Ao longo de toda a vida, uma pessoa come cerca
de 20 mil quilos de comida, o que equivale ao peso
de seis elefantes. Só não comemos elefantes
porque são muito difíceis de guardar na geladeira.

## 302

Algumas espécies de lombriga são capazes de comer umas às outras se não encontram comida. O ser humano é diferente, jamais comeria um tio dele na hora da fome.

## 303

**OS GOLFINHOS DORMEM COM UM OLHO ABERTO. DEVE SER PARA VER QUANDO ESTÃO SONHANDO...**

## 304

No espaço, os astronautas não podem chorar porque, com a falta de gravidade, as lágrimas não saem. Então, o que eles fazem quando ficam tristes? Dão risada?

## 305

Antigamente, em uma cidade da Islândia, era contra a lei ter cachorros como bicho de estimação. Quais seriam os animais de companhia? Baratas?

## 306

**O TENISTA ROGER FEDERER COMEÇOU A JOGAR TÊNIS AOS TRÊS ANOS.**

### 307

Um espirro é disparado para fora da boca a uma
velocidade de aproximadamente 150 quilômetros
por hora. Se sair com uma melequinha, cuidado,
porque pode atingir o olho de alguém.

### 308

As costelas humanas se mexem cerca de cinco
milhões de vezes por ano, isto é, a cada vez que
respiramos. E não ficam cansadas!

### 309

A posição dos olhos de um burro permite que
ele veja as quatro patas ao mesmo tempo.
E confira se não está faltando nenhuma!

### 310

**A CADA 45 SEGUNDOS UMA CASA PEGA FOGO NOS
ESTADOS UNIDOS. COITADOS DOS BOMBEIROS!**

### 311

Em Bangladesh, as crianças de 15 anos
podem ser presas por colar nas provas finais.
Você e seu colega do lado pegariam uns
100 anos de prisão, fala sério!

## 312

O pinguim é a única ave que sabe nadar,
mas não sabe voar. A não ser que você acenda
um foguete nas costas dele...

## 313

Ernest Vincent Wright escreveu *Gadsby*,
um livro que tem mais de 50 mil palavras,
nenhuma delas com a letra "E". Como conseguiu?
Ora, pare de fazer pergunta difícil!

## 314

**OS OLHOS DAS ABELHAS TÊM UM DETERMINADO
TIPO DE PELO. NÃO SERÃO CÍLIOS?**

## 315

Os cachorros e os gatos também são destros
ou canhotos, como os humanos.
Nós nunca vimos um gato canhoto, mas se
o livro está dizendo, então tudo bem.

### 316

Todos os anos acontecem mais de 50 mil
tremores de terra no mundo inteiro.
Sem contar aqueles provocados pelos gritos
dos seus pais, quando vocês fazem arte.

### 317

Cheirar maçãs-verdes pode ajudar a perder peso.
Seu primo, o gordinho, está precisando cheirar
umas cem mil maçãs, não?

### 318

Um adulto trabalhador sua até quatro litros de
água por dia. Em uma semana faz um rio!

### 319

Um bloco de gelo polar normalzinho pesa em
torno de 20 milhões de toneladas. Perguntamos
de novo: de quem é a ideia de pesar essas coisas?

**320**

Uma pepita de ouro puro do tamanho de uma
caixa de fósforos pode ser aplainada até se
transformar em uma folha do tamanho de uma
quadra de tênis. Deve ser incrível jogar em um
campo de ouro aplainado!

**321**

**AS FORMIGAS FAZEM ALONGAMENTO DE MANHÃ,
AO ACORDAR. MAS NÃO ESCOVAM OS DENTES!**

**322**

Em Tóquio, no Japão, vendem-se
perucas para cachorros. Só para cachorros:
os gatos carecas que se virem!

**323**

O olho do avestruz é maior que seu cérebro.
Mas eles não pensam com os olhos,
por maiores que sejam.

**324**

As mulheres piscam quase
duas vezes mais do que os homens.
Deve ser a maquiagem...

O hino nacional da Holanda é o mais antigo
do mundo. A música apareceu em 1572, e a letra,
em 1590. Por que não fazem uma mais nova?

Os egípcios antigamente dormiam
em travesseiros de pedra. Coitados... imagine
a cabeça deles de manhã...

142.857 é um número cíclico. Quando multiplicado
por qualquer número de um a seis,
os produtos serão sempre os mesmos que 142.857,
inclusive na mesma seqüência. A única coisa que
muda é o número por onde começa. Por exemplo:
142.857 x 2 = 285.714; 142.857 x 3 = 428.571;
142.857 x 4 = 571.428; 142.857 x 5 = 714.285;
142.857 x 6 = 857.142
Com esse truque você pode ganhar uma aposta
com seus amigos... $$$$$$$$$$$$$$$$$$$

**328**

O Piu Piu, aquele canário dos desenhos
da Warner Brothers, inicialmente foi um filhote
sem penas, até ser censurado e obrigado a usar
penugem, para não aparecer muito pelado.

**329**

O único continente sem répteis ou cobras é a
Antártida. Também, pudera, com o frio que faz lá!

**330**

Todas as gôndolas da cidade de Veneza, na Itália,
têm de ser pintadas de preto. Quem vende tinta
preta em Veneza deve estar milionário!

**331**

A letra do hino nacional japonês é do século 9, mas
a música foi composta em 1880. Foi tão difícil
assim de fazer? Porque para demorar 10 séculos...

**332**

Existe uma cidade chamada Roma em cada
continente. Melhor ir para Wolfsburgo, que só tem
uma e não dá pra errar. Mesmo que você nem
saiba onde fica Wolfsburgo.

## 333

Há 2.598.960 combinações possíveis
de quatro naipes em um baralho de 52 cartas.
Mas não vá ficar contando!

## 334

Se colocarmos uma ameixa seca num copo
com espumante, ela vai flutuar e afundar
continuamente. Isso é para você fazer o teste
quando não tiver nada para fazer...
(e tiver em casa ameixa e champanhe).

## 335

Tomar água após as refeições reduz a acidez
na boca em 61%. Não 60, 61%! Vê como esse livro
sabe de tudo, mas de tudo mesmo?

## 336

O equivalente romano para o número 1666
é MDCLXVI. Este ano é famoso porque foi a única
vez na história em que uma data foi escrita com
todos os números romanos, desde o valor mais
alto até o mais baixo. Esta é uma informação nota
X! Ou melhor, nota 10.

**337**

O nome mais comum na Itália é Mario Rossi.
Não tem muito "da Silva" porque não é o Brasil.

**338**

A terça-feira é o dia mais produtivo da semana.
Nos outros dias as pessoas fingem que trabalham,
mas na verdade... só coçam.

**339**

O pintor Vincent Van Gogh vendeu apenas uma
obra quando vivo. Hoje seus quadros valem milhões
de dólares, mas ele não viu nem a cor do dinheiro!

**340**

É impossível espirrar sem fechar os olhos.
Bom, porque assim não vemos quando
cuspimos na cara de alguém.

**341**

A lula-gigante tem olhos maiores que os de
qualquer outro ser. Não sabemos para quê, já que
não tem muito o que se ver no fundo do mar...

**342**

O sobrenome materno de Buzz Aldrin, o segundo
homem a pisar na Lua, era Moon (Lua). Ainda
bem que o sobrenome não era Sun (Sol), senão ele
teria ido para o Sol e se queimado todo.

**343**

**SEUL, A CAPITAL DA CORÉIA DO SUL, SIGNIFICA
"A CAPITAL" NO IDIOMA COREANO.**

**344**

O estômago tem que produzir uma camada
de mucosa nova de duas em duas semanas,
pois de outra forma faria a digestão dele mesmo.
Faminto ele, não?

**345**

O caça russo Sukhoi-34 foi o primeiro da categoria
com banheiro. Imagine como deve ficar o banheiro
se alguém tiver dor de barriga bem na hora das
piruetas a 300 metros por segundo de velocidade!

**346**

O verbo testificar surgiu nas cortes romanas
onde os homens juravam por seus testículos
ao fazerem alguma declaração.

**347**

O coração do camarão fica na cabeça.
Só falta o cérebro ficar na perna esquerda.

**348**

Acredita-se que o bocejo, por fazer
com que os pulmões aspirem mais ar que
o normal e por alongar os músculos da face,
ajuda o corpo a ficar acordado.
Uuuááááááá! Essa informação deu um sono...

**349**

O diretor de cinema Alfred Hitchcock não tinha
umbigo, que foi eliminado em uma cirurgia.
Onde será que ele guardava o sebinho que todos
nós temos no umbigo?

**350**

O nome verdadeiro do músico Bob Dylan
é Robert Zimmerman. Que sorte que ele não
escolheu o nome Rolando Escada Abaixo!

**351**

Só três anjos são citados na Bíblia: Gabriel,
Miguel e Rafael. Parece que os outros ficaram
no Céu e não quiseram participar do livro.

**352**

O autor de *Drácula* é Bram Stoker. E foi à custa
de muito sangue que ele terminou o livro.

**353**

Há mais samoanos na cidade
de Los Angeles, Estados Unidos, que americanos
nas ilhas de Samoa.

**354**

Os lápis hexagonais vendem onze vezes mais que
os redondos. Compre um redondo e mate de inveja
todos os outros que tiverem hexagonais.

## 355

**AS PALAVRAS HAVAIANAS
NÃO TÊM GRUPOS DE CONSOANTES.**

## 356

O menor peixe do mundo é o *Trimattum nanus*,
do arquipélago de Chagos. Ele mede 12 milímetros
e tem o nome mais comprido que o corpo.

## 357

Os cavaleiros de armadura se cumprimentavam
levantando a viseira para mostrar a cara. Alguns
tinham a cara tão feia que dava até medo.

## 358

**O ROSÁRIO MAIS COMPRIDO
DA AMÉRICA DO NORTE FICA NA FATIMA SHRINE,
EM HOLLISTON, MASSACHUSETTS.**

**359**

O primeiro produto que teve código de barras na embalagem foi o chiclete *Wrigley*. Agora falta pouco para colocarem código de barras nos nossos braços para nos identificarem.

**360**

Na Itália é ilegal construir caixões de qualquer material que não seja madeira ou casca de nozes. Melhor você não se enfiar nunca num caixão feito com casca de nozes. Imagina se vem um esquilo e inventa de comer o recheio.

**361**

A palavra árabe usada para representar uma quantidade desconhecida era *shei*. Ela passou para o grego como *xei*. Finalmente, foi encurtada e ficou apenas "x". É por isso que o "x" serve para representar um número qualquer. Entendeu ou vamos ter que explicar "x" vezes?

**362**

AS RATAZANAS PODEM VIVER MAIS TEMPO
SEM ÁGUA QUE OS CAMELOS.

### 363

A dança aeróbica causa mais fraturas ósseas
que qualquer outra atividade recreativa.
Melhor bater uma bolinha.

### 364

Nos Estados Unidos, as frutas chamadas *chinese
gooseberries* não tiveram muita saída até que
os vendedores mudaram o nome para "kiwi".
Ainda bem que não trocaram o nome das maçãs.
Senão, que nome teriam dado a elas?

### 365

Os patos têm seis pálpebras, três em cada olho.
Ficam seis horas descolando todas elas até
conseguirem se levantar!

### 366

Na Roma Antiga, as damas tomavam seus banhos
na gordura dos cisnes e no leite das éguas. E tinham
um cheiro horroroso que não dava para aguentar!

### 367

Os franceses comem em torno de 200 milhões
de rãs por ano. E por incrível que pareça,
não andam pulando de lá para cá!

**368**

OS ELEFANTES DORMEM TRÊS HORAS POR NOITE.
E, CLARO, ACORDAM COM OS BARULHOS DA FLORESTA.

**369**

Os pacientes homens caem da cama
nos hospitais duas vezes mais que as pacientes
mulheres. Que tontos!

**370**

O ponto mais baixo da crosta terrestre
é o mar Morto. Ele está 416 metros abaixo
do nível do mar. Além de morto... é caído!

**371**

Os gatos domésticos podem chegar a velocidades
de até 50 quilômetros por hora. Se o carro morrer,
montado num gato você pode chegar aonde quiser.

**372**

O animal mais perigoso do zoológico,
de acordo com os zeladores, é o urso panda.
Quem diria, com aquela cara de bonzinho!

**373**

O governo da Grã-Bretanha tem
10 mil gatos e os utiliza para manter
os ratos afastados dos edifícios públicos.
Depois terão de contratar uns 10 mil cachorros
para controlar os gatos.

**374**

Os cinco países com maior índice de divórcios são
Estados Unidos, Ucrânia, Liechtenstein, Peru e
Maldivas. Melhor casar em outro país.

**375**

Nos Estados Unidos são vendidas quatro roupas de
banho por segundo. Como gostam de praia!

**376**

A tromba de um elefante tem até 40 mil
músculos. E os exercita pegando o amendoim que
jogamos quando vamos ao zoológico.

**377**

A palavra "harém", em árabe, quer dizer "proibido".
E ter um harém em outros países... é proibido!

## 378

O maior sino do mundo é o *Tsar Kolokol*, em
Moscou. Pesa 222 toneladas e nunca foi usado.
Lógico, nem 10 mil Quasímodos conseguiriam
tirá-lo do lugar.

## 379

Os cubanos são os maiores consumidores de
açúcar do mundo. Que povo mais melado!

## 380

O esqueleto humano continua crescendo
até os 35 anos de idade aproximadamente, depois
começa a encolher. Mas não o suficiente para
entrar numa lata de sardinhas.

## 381

Os castores podem nadar 800 metros sob a água
com uma única inspiração. O que eles têm não
são pulmões, são dois balões!

## 382

Miguel de Cervantes escreveu
*Dom Quixote* quando estava na prisão.
E, claro, não trabalhava, nem tinha que cozinhar...
sua única opção era escrever.

## 383

A Cidade do México tem mais táxis que todas as
outras cidades do mundo: são mais de 60 mil.
Se você não conseguir pegar um táxi no México, aí
sim é porque você não tem sorte nenhuma.

## 384

**UM FRANCÊS TÍPICO USA DOIS SABÕES POR ANO.
QUE NOJENTO!**

## 385

A língua de uma baleia-azul pesa
a mesma coisa que um elefante adulto.
Só que língua não tem trombá.

## 386

Dizem que as pessoas que têm peixes como bicho
de estimação dormem com mais facilidade. A não
ser que inventem de dormir com eles no aquário.

**387**

Num determinado momento, um humano
tem normalmente 100 mililitros de gás
nos intestinos. Em outro momento, esses
gases se transformam em punzinhos.

**388**

O cantor Tim Maia, antes de ser
conhecido por sua música, entregava as
marmitas que a mãe preparava.

**389**

Todos os anos morrem mais pessoas por picadas
de abelha que por mordida de tubarão. O problema
é quando você entra na água com um tubarão bem
na hora em que ganha uma picada de abelha.

**390**

As maçãs são parte da família das rosas.
Mas garoto nenhum pensa em dar um buquê
de maçãs para a namorada.

**391**

As vacas passam dezoito horas por dia
mastigando ou ruminando. Como será que ficam
os dentes depois disso?

**392**

A maior velocidade já alcançada
por um motociclista em uma única roda
foi 180 quilômetros por hora.

**393**

Uma pesquisa descobriu que
os porcos podem se tornar alcoólatras.
Sujos e ainda por cima bebuns.

**394**

C3PO é o primeiro ator que fala em *Star wars*.
O quarto filme, que na verdade
é o primeiro, é do ano de 1977.
Bom, parece que nos enrolamos, não é?

**395**

Cerca de 30 milhões de pessoas no mundo
inteiro acreditam terem sido sequestradas
por extraterrestres.

**396**

De acordo com relatos astronáuticos,
a Lua cheira a explosões de foguetes de pólvora.
Menos mal que não tenha cheiro de alho...

**397**

O termo "karaokê" significa "orquestra vazia" em
japonês. Os japoneses são bem inteligentes para inventar
nomes, mas não sabemos se sabem cantar bem.

**398**

**UMA VACA COMUM VIVE 30 ANOS.
ISSO SE NÃO FIZEREM CHURRASQUINHO DELA ANTES...**

**399**

Dezembro é o mês em que se celebram mais
casamentos. E além das festas de casamento...
também se comemora o Natal!

**400**

Um porco saudável pode correr um quilômetro
em cinco minutos. E pode correr mais rápido,
se quiserem pegá-lo para fazer presunto.

**401**

Na sua cama moram aproximadamente seis
milhões de germes e bactérias. E se estiver
desarrumada como sempre, muito mais!

**402**

PÔNCIO PILATOS, AQUELE QUE LAVOU AS MÃOS,
NASCEU NA ESCÓCIA.

**403**

Um recorde: um gato chamado Minnie pegou
12.480 ratos entre 1927 e 1933. Se tiver comido todos
eles, deve ter virado um gato gordão.

**404**

Leonardo DiCaprio nasceu em Hollywood
e atua nos filmes de Hollywood. Será que ele
saiu alguma vez de Hollywood?

**405**

O custo estimado para tatuar o corpo inteiro
é de 30.000 a 50.000 dólares. Melhor fazer um
desenhozinho com caneta mesmo.

**406**

As libélulas podem voar a velocidade
de até 90 quilômetros por hora.
Só que elas não são multadas pela polícia
por excesso de velocidade.

**407**

UM PÉ DE CAFÉ DÁ EM MÉDIA MEIO QUILO DE CAFÉ
POR ANO. DÁ PARA QUEM?... NÃO SABEMOS.

**408**

Os cães lambem a cara do dono porque
instintivamente estão atrás de restos de comida.
Esses porcalhões!

## 409

Os ursos-polares podem comer 25 quilos
de carne em uma única refeição. Mas sem pão,
claro, para não engordar.

## 410

A economia da ilha de Nauru, no oceano Pacífico,
é baseada quase totalmente na venda de fezes de
aves. Como fazem para juntá-la? Será que
colocam um penico atrás de cada pássaro?

## 411

Os gatos podem fazer mais
de cem sons vocais diferentes. Os cães
podem fazer cerca de dez. Só falta agora
os gatos começarem a cantar.

## 412

A língua do camaleão é duas vezes
maior que seu corpo. Ainda bem que
os camaleões são pequenos, senão
a língua iria daqui até a China.

## 413

AS BALEIAS-PRETAS SÃO BRANCAS QUANDO NASCEM.
NA CERTA DEVEM TOMAR MUITO SOL...

Em geral, um elefante demora 660 dias para nascer. Mas também, pudera, para formar uma tromba tão comprida deve levar quase um ano.

O coala dorme 22 horas por dia.
É porque ele não tem uma mãe para dizer:
"Levanta, preguiçoso, hora de ir para a escola!".

Os mosquitos preferem as crianças
aos adultos, e preferem as loiras às morenas.

Temos aproximadamente cem mil fios de cabelo
na cabeça. Ainda bem que são leves, senão
ficaríamos com a consciência muito pesada.

O compositor italiano Antonio Vivaldi
compôs *As quatro estações:* são quatro peças
que simbolizam o verão, o outono,
o inverno e a primavera.
Mas não é preciso escutar o inverno
com luvas e cachecol...

### 419

Disartria é a dificuldade de articular as palavras.
Entrendeu, ammmigo?

### 420

Babia é uma região da Espanha onde,
na Idade Média, os reis de León e Astúrias iam
para descansar. Desde então os espanhóis usam a
expressão "estar en babia" para dizer que
alguém está no mundo da lua.

### 421

O jogador de futebol que fez mais gols
em um único Mundial foi o francês Just Fontaine,
em 1958. Deu na mesma, afinal, a França perdeu
do mesmo jeito.

### 422

A víbora mais comprida do mundo é a píton real,
que chega a 12 metros. Quando olha para trás...
não consegue nem ver o rabo.

**423**

Todos os insetos da Terra pesam três
vezes mais que todos os outros animais juntos.
E olha que são pequenos!

**424**

Os egípcios da Antiguidade compravam
joias para os crocodilos, que criavam em casa.
Mas não lhes punham colares porque tinham
medo de serem comidos por eles.

**425**

As aranhas vivem de quatro a sete anos. Desde que
não apareçam na sua casa e sejam pisadas por você!

**426**

O MCDONALD'S VENDE ANUALMENTE CERCA DE TRÊS
BILHÕES DE HAMBÚRGUERES.

**427**

Quando falamos, nossa pressão arterial
sobe ligeiramente. Algumas mães devem ter
a pressão lá nas nuvens, pois passam o dia
conversando com as vizinhas...

**428**

Os tubarões encontram os peixes para comer
escutando as batidas do coração deles.
Além de dentes... que ouvidos!!!

**429**

O coração de uma orca, a baleia assassina,
bate 30 vezes por minuto sob a água e 60 vezes
por minuto na superfície.
Se voasse... não sabemos como seria.

**430**

Um cidadão francês típico come 500 caracóis
por ano. Mas sem a casinha, porque é dura
demais para morder.

**431**

O idioma oficial do Paquistão é o *urdu*. Agora
vamos falar isso em urdu: *eousoi duae idnaui iooak*.
Mentirinhaaaaaaaaaa! Você acreditou?

**432**

O inimigo do Super-Homem se chama
Lex Luthor. Mas não ganha do Super-Homem,
porque não tem capa, nem voa.

**433**

O nome de Sêneca, grande pensador romano,
era Lucio Anneo. Anneo não tem nada a ver
com uma determinada parte do corpo...

**434**

O elefante-marinho do sul é o maior carnívoro do
mundo. Ele pesa 10 toneladas e mede sete metros
de comprimento. Se pedir colinho, melhor fugir!

**435**

Nos velhos tempos, quando alguém
ganhava no bingo, tocava um sininho,
daí o nome "bing-o". Agora temos que
gritar feito doidos!

**436**

33% da população mundial não conseguem
assobiar com os dedos. Mas podem aplaudir
e fazer barulho de outro jeito.

## 437

O país com mais elefantes é o Zaire, com 195 mil.
Sorte que também deixam lugar para
as pessoas viverem lá.

## 438

As escovas de pelo de camelo são feitas
com rabo de gambá. Então, se uma escova dessas
vier com mau cheiro, significa... que não lavaram
bem o rabo do bichinho!

## 439

Uma gota de água do mar demora mais de mil
anos para dar a volta ao mundo. E sem se cansar!

## 440

**SÃO NECESSÁRIOS 43 MÚSCULOS FACIAIS PARA
FRANZIR A TESTA. MELHOR RIR.**

## 441

No frio você perde de 50 a 75% do calor,
se não cobrir a cabeça. E se for com
um travesseiro para continuar dormindo
e matar aula... melhor ainda!

As primeiras escovas de dente foram
inventadas na China, em 1498, e suas cerdas
eram tiradas de porcos. Ainda bem que tiravam,
senão teriam de fazer uma escova com
um porco amarrado nela.

O inventor húngaro-americano Peter Carlo
Goldmark foi quem, em 1940, desenvolveu o
primeiro sistema de televisão a cores para ser
usado comercialmente. Que sorte! Já pensou ter
que ver *Os Simpsons* em preto e branco!

**ENTRE OS MAMÍFEROS, EM TODAS AS ESPÉCIES
A FÊMEA VIVE MAIS QUE O MACHO.**

A palavra "caribe" tem a mesma raiz
da palavra "canibal". Se for ao Caribe, você pode
ser comido em um sanduíche.

## 446

Cachorros da cidade vivem três anos mais que
cachorros do campo. E por que é que os cachorros
do campo não mudam para a cidade?!

## 447

**O CONTINENTE MAIS POPULOSO É A ÁSIA.
ÁSIAGENTEFOSSEPRALÁ...**

## 448

Todos os anos caem na Terra 10 mil
toneladas de partículas de poeira cósmica.
E depois você é que é o culpado de toda
a sujeira no seu quarto!

## 449

Há cerca de 3.000 anos, os fenícios inventaram o
alfabeto. Mas não usavam vogais! Ainda bem que
depois vieram os gregos e ajeitaram tudo.

## 450

Átila, o Huno, nasceu no ano 406
e morreu em 453. Átila significa "Pequeno Pai".
Menos mal que era pequeno, porque andou
matando gente por muitos anos.

**451**

O trigo é a planta mais cultivada em todos
os continentes. Com sua farinha fazemos o pão
(que tem um miolo perfeito para fazer bolinhas
e jogar na cabeça dos irmãos).

**452**

O rei Mongkut, do Sião, teve nove mil esposas.
Passou mais tempo em lua-de-mel que
governando!

**453**

Em italiano, "máfia" significa "beleza, excelência,
coragem". Coragem é o que precisamos ter para
enfrentar os mafiosos...

**454**

O primeiro astronauta americano que orbitou
sobre a Terra foi John Glenn. Não sabemos
se foi para o lado contrário do russo Yuri Gagarin,
só para ser do contra.

Todos os mamíferos que comem carne têm pelo menos quatro dedos em cada pé. Nós temos cinco... ganhamos! Ganhamos!

O húngaro Lászó Birõ inventou a caneta esferográfica em 1938. Será que ele é parente do jogador Biro Biro? Dã!

Disse o filósofo francês Voltaire: "Aqueles que acreditam que o dinheiro faz tudo, acabam fazendo tudo por dinheiro". Não entendeu? Dê-nos alguns dólares, que explicamos.

O diâmetro da Lua é de 3.456 quilômetros. O da Terra, medido no Equador, é de 12.800.

Futebol é para se jogar com os pés, não com as mãos. Se jogar com a mão é basquete.

**460**

Um peru selvagem pode correr até
25 quilômetros por hora quando está assustado.
Se colocarmos para ele um filme como *Pânico*,
pode ser que corra mais rápido!

**461**

As mulheres roubam nos negócios
quatro ou cinco vezes mais que os homens.
Menos a mamãe, que é boazinha.

**462**

**LEONARDO DA VINCI LEVOU QUATRO ANOS
PARA PINTAR A *MONA LISA*.**

**463**

Um canguru grande pode saltar 10 metros
de distância e até mais de três metros de altura.
Ideal para jogar basquete!

**464**

Existem baratas de até nove centímetros
de comprimento. Teríamos que matá-las
com os dois pés juntos!

**465**

Cem xícaras de café tomadas ao longo
de quatro horas podem matar um ser humano.
Não sabemos o que acontece se ele beber só 99.

**466**

Os prêmios Nobel são dados a pessoas que se
destacam nas áreas da física, química, economia,
medicina e literatura, e àquelas que contribuem
para a paz mundial (não é o seu caso quando
briga com seu irmão).

**467**

O tabuleiro *Ouija* tem esse nome por causa do
afirmativo "sim", *oui*, em francês, e *já*, em alemão.
E quando o usamos dá um medo que não
nos deixa dizer nenhuma palavra.

**468**

O inglês é a língua com mais vocábulos,
aproximadamente 455 mil palavras ativas
e 700 mil palavras mortas. As que morreram...
onde estarão enterradas?

**469**

A centopeia pode ter de 15 a 170 pares
de patas, dependendo da espécie.
Menos mal que não usa sapatos, porque
perderia muito tempo se calçando.

**470**

Desde 1898, a história da Cinderela teve
por volta de 60 representações cinematográficas,
tanto em filmes como em desenhos
animados, no mundo inteiro.
Será que não têm nenhuma ideia melhor?

**471**

O tambor é um instrumento de percussão.
Ideal para tocar quando sua mãe e seu pai estão
tirando um cochilo.

**472**

O ditado diz: "O saber não ocupa lugar".
É claro que ocupa! Quando estudamos não sobra
lugar no cérebro para pensar nos games!

**473**

**EXISTEM ELEFANTES QUE VIVEM
ATÉ 70 ANOS DE IDADE, BALEIAS QUE VIVEM ATÉ 90,
E HUMANOS QUE CHEGAM ATÉ OS 120 ANOS.**

**474**

O cachorrinho chihuahua foi descoberto no estado
de Chihuahua, no norte do México.

**475**

São denominados bosquímanos os vários povos
africanos, considerados os mais antigos da
humanidade. Mas eles não sabem disso, porque
não leem este livro.

**476**

São necessários 17 músculos faciais para sorrir.
Sorria, você não precisa fazer tanto esforço!

## 477

A molécula do amoníaco se forma com
um átomo de nitrogênio e três de hidrogênio.
Mas se você quiser um litro de amoníaco,
precisará de muito mais átomos.

## 478

O trigo e a cevada foram os primeiros cereais
cultivados pelo homem. Onde foram cultivados?
Ora, bolas, na terra! Onde mais poderia ser?

## 479

Só os porcos sofrem de intolerância ao sol
como os humanos e podem ter queimaduras
na pele. Passe neles o protetor solar!

## 480

Existem 3.500 milhões de galinhas no mundo,
quase uma para cada ser humano. Sem somar
o seu irmão, que é um galinha.

## 481

A Ásia é o maior continente do mundo,
e a Oceania, o menor. Será que a Ásia não poderia
emprestar alguns metros para a Oceania?

**482**

A mamba-negra, serpente do sul da África,
pode se deslocar a uma velocidade
de 50 quilômetros por hora, perseguindo um
homem a cavalo. Melhor não ir a cavalo e pegar
um trem, assim ela não nos alcança.

**483**

A Basílica de São Pedro pode acomodar
50 mil pessoas. Desacomodadas, só Deus sabe
quantas podem entrar.

**484**

O rio Potomac cruza Washington, a capital
dos Estados Unidos. Então, quando for a
Washington, cuidado para não cair no rio.

**485**

Os ursos-polares podem sentir cheiros
a 30 quilômetros de distância. Melhor por
desodorante, senão um urso-polar pode gritar
de longe para você: "Fedido! Seu fedido!"

## 486

O Batman apareceu pela primeira vez
na revista *Detective Comics* nº 27,
em maio de 1939. Nessa época ele ainda não tinha
dinheiro para construir a batcaverna.

## 487

O corpo humano tem normalmente entre quatro
e cinco metros quadrados de pele. No caso de
alguns barrigudos, mais que metros quadrados,
têm metros redondos.

## 488

A sensação que temos quando uma parte do nosso
corpo "dorme" é chamada de neurapraxia. Agora,
quando você dorme durante as aulas, isso se
chama... tédio.

## 489

O Sol tem entre 20 e 21 anos cósmicos de idade.
Ele não apaga velinhas porque, com tanto calor,
elas derreteriam.

## 490

Na mitologia grega, Nike era a deusa da vitória.
Não sabemos se ela usava tênis ou não.

### 491

Em 1942, o americano Earl D. Tupper inventou o *tupperware*, recipiente plástico durável para guardar alimentos. Especialmente aqueles que você não come e a sua mãe põe na mesa no dia seguinte.

### 492

O nome "América" não foi escolhido em homenagem ao cartógrafo Américo Vespúcio. Ao que tudo indica, vem do nome de uma tribo de índios do Caribe, os amaracas (que não tocavam maracas).

### 493

O intestino delgado mede de seis a oito metros de comprimento. O grosso mede dois metros. Tudo isso está aí, na sua pança.

### 494

**AS CORES DO ARCO-ÍRIS SÃO VERMELHO, LARANJA, AMARELO, VERDE, AZUL, ANIL E VIOLETA.**

**495**

Os atores que representaram James Bond foram:
Sean Connery, George Lazenby, David Niven,
Roger Moore, Timothy Dalton, Pierce Brosnan e
Daniel Craig. Mas afinal, qual é o verdadeiro?

**496**

O Super-Homem apareceu pela primeira vez na
*Action Comics* nº 1, em junho de 1938. Não sabemos
quantos quilômetros ele já voou desde então.

**497**

JESUS CRISTO PROVAVELMENTE NASCEU NO ANO
SEIS A.C. (ANTES DE CRISTO). QUE AVANÇADINHO!

**498**

"Avatar" significa "a encarnação humana
de Deus", em hindu. Hoje, avatar é uma espécie de
codinome virtual, ou *nickname*. Logo, quando você
inventa um nome na internet... você é um Deus!

**499**

A idade da Lua é de aproximadamente
4.720 milhões de anos. Não comemoram
o aniversário dela porque, com tantas velas,
se queimaria inteira.

**500**

Além do pelo, também a pele do tigre
é rajada. Só falta ter coração e estômago
rajados também!

**501**

Existem cerca de oito mil espécies de maçãs. E isso
porque todas são vermelhas! E uma ou outra verde!

**502**

De acordo com o que dizem os cientistas, a Terra
se formou há 4.600 milhões de anos. Até que ela
não tem tantas rugas assim...

**503**

**O LIVRO MAIS ROUBADO NOS
ESTADOS UNIDOS É A BÍBLIA.**

**504**

Até 40% das mordidas de cascavel são
"mordidas secas", que quase não soltam veneno.
Dá para ver que as cascavéis não querem gastar
veneno assim, sem mais nem menos.

**505**

Aquele trequinho que temos pendurado no fundo da garganta e que chamamos de campainha, na verdade se chama "úvula". Mas vamos continuar dizendo campainha mesmo, que é mais fácil de lembrar.

**506**

Numa noite sem lua, sem nuvens nem poeira e num lugar escuro e sem obstruções no horizonte, podem ser vistas em torno de 2.500 estrelas a olho nu.

**507**

Algumas espécies de insetos podem voar em altitudes entre 800 e 1.500 metros. E se olham para baixo... veem os homens como insetos!

**508**

O champanhe foi inventado por um monge do século 18, chamado Dom Perignon.

**509**

No universo que conhecemos e até onde
nossa tecnologia nos permite ver,
o número de estrelas é estimado
em 10.000.000.000.000.000.000.000.
Neste dado, o que não falta são zeros!

**510**

O britânico Jack Broughton
inventou a luva de boxe. E partiu para cima
de vários, para testá-la.

**511**

Um buraco de golfe tem 10 centímetros
de diâmetro e pelo menos 10 centímetros
de profundidade. Os buracos que seu primo tem
na cara são maiores, não?

**512**

A barata tem dois cérebros: um na cabeça
e outro menor, no rabo. Ou seja, se solta um
punzinho... é um pensamento.

**A PELE DO URSO-POLAR É PRETA EMBAIXO DA PELAGEM BRANCA. O QUE ELE É? UM AGENTE SECRETO.**

O relógio atômico do Laboratório de Pesquisa Naval, em Washington, Estados Unidos, atrasa um segundo a cada um milhão e setecentos mil anos. Que impontualidade!

**O CORAL É FEITO DE PÓLIPOS, ISTO É, ESQUELETOS DE PEQUENOS ANIMAIS.**

O filósofo grego Platão pensava que o amor era uma doença mental grave. Parece que quem estava em estado grave era ele.

O mês de fevereiro do ano de 1865 foi o único mês na história em que não houve lua cheia. Pelo jeito, a lua não estava a fim de ficar cheia.

**518**

O nome mais comum no Brasil é José.
Não falha: quando estiver andando na rua,
pode gritar "Ô, Zé!!", que com certeza
alguém vai olhar para trás.

**519**

Os esquimós têm centenas
de palavras para falar da neve e do gelo.
Também, existindo só gelo e neve
onde eles vivem!

**520**

As estrelas-do-mar não têm cérebro.
Alguns colegas da classe também não!

**521**

Em 1789, Benjamin Franklin sugeriu
ao Congresso Continental dos Estados Unidos
que o símbolo nacional fosse o peru. No final
das contas, ficaram com a águia. Não queriam
sair incentivando as peruas por aí...

O freio que temos embaixo da língua serve para
não a engolirmos e sermos sufocados por ela. Nem
deve ser tão gostoso assim, comer a própria língua!

O faraó egípcio Ramsés II teve cem filhos.
Se você já briga com seu irmão, imagina
a confusão que seria brigar com 99!

As *tsunamis* são gigantescas ondas causadas por
terremotos no meio do mar. Por via das dúvidas,
se vier uma *tsunami*, nem pense em surfar!

A substância natural mais dura na Terra é o
diamante. Viu? Não é a sua cabeça!

O ator Sylvester Stallone (*Rocky, Rambo*)
limpava as jaulas dos leões em um zoológico
no Bronx, Estados Unidos.

**527**

*África dos meus sonhos* foi o primeiro
filme de Kim Basinger, depois do Oscar
de melhor atriz coadjuvante, em 1997.
Mas acreditamos que fazer esse filme não
era o verdadeiro sonho dela.

**528**

**ALGUMAS RAINHAS DE CUPINS VIVEM
ATÉ MEIO SÉCULO. CHEGAM A SER AVÓS!**

**529**

As mulas são o resultado do cruzamento
de jumentos com éguas. Que sorte que não
cruzaram com um porco-espinho, senão
nos espetariam ao montá-las.

**530**

O nervo ciático é o nervo mais comprido
do corpo humano. E não vamos falar mais nada,
porque ficamos nervosos com essa informação.

**531**

O lago Great Salt, nos Estados Unidos,
tem tanto sal que faz qualquer
objeto flutuar. Até o grandalhão
mais pesado da sua rua!

**532**

O CORVO PODE VIVER ATÉ 80 ANOS.
E NÃO USA BENGALA PARA VOAR!

**533**

As construções dos incas eram feitas
com pedras moldadas com tanta precisão e que
se encaixavam tão bem que entre elas não cabia
sequer a lâmina de uma faca. O que não sabemos
é se os incas inventaram a faca.

**534**

O farmacêutico John Pemberton inventou a
Coca-Cola. Que sorte, senão beberíamos só água,
que não tem gosto de nada!

**535**

Os pais mais jovens do mundo tinham
oito e nove anos e viveram na China, em 1910.
Eram um pouco descuidados... e seus filhos
pareciam ser mais velhos que eles!

**536**

O dr. William Moulton Marston foi o inventor do
detector de mentiras. Ainda bem que nossos pais
não têm um em casa, porque de tantas mentiras
que contamos... a maquininha explodiria!

**537**

A PALAVRA "OXALÁ" VEM DO ÁRABE: *OJ* (PRIMEIRO),
*ALÁ* (DEUS). OXALÁ VOCÊ TENHA ENTENDIDO.

**538**

Os cães têm nariz úmido porque é por lá
que eles transpiram. É por isso que eles não
usam desodorante nas axilas.

**539**

A noz-moscada é extremamente venenosa
se injetada na veia. E quem é o tonto que vai se
injetar noz-moscada?

**540**

Os seres humanos são os únicos primatas
que não têm pigmentação nas palmas das mãos.
Se começar a bater palmas e suas mãos ficarem
vermelhas... isso não é pigmentação!

**541**

Em dez minutos, um furacão libera
mais energia que todas as armas nucleares
do mundo juntas. Mas ainda preferimos um
furacão a uma bomba atômica.

**542**

O jogo de panelas que a sua mãe comprou
não é o mesmo que uma bateria de verdade,
mas até que dá para fazer um som legal!

**543**

Sete é o número médio de dias que
um alemão fica sem lavar a roupa íntima.
Mais porcos que os seus colegas da escola!

**544**

A rainha Isabel I da Inglaterra mandou inventar o primeiro armário. Devia ser porque não tinha onde esconder seus amantes quando o marido chegava.

**545**

A Islândia consome mais Coca-Cola *per capita* que qualquer outro país no mundo. Será que sentem mais sede?

**546**

A biblioteca da Universidade de Indiana afunda mais de três centímetros por ano, porque no projeto do edifício não foi incluído o peso dos livros.

**547**

David Prowse é quem encena Darth Vader no filme *Star wars*. Mas a voz não é dele, e sim do ator James Earl Jones. Esse Darth Vader é um caso típico de dupla personalidade!

## 548

A explosão de uma estrela chama-se
"supernova" e estima-se que pode gerar uma
energia de 10.000.000.000.000.000.000.000.000.000.00
0.000.000.000.000.000.000 ergs. O que são ergs?
Não sabemos, mas se estiver perto de uma
supernova, melhor sair correndo.

## 549

*Nice* significa "agradável" em inglês,
e deriva do latim *nescius*, que significa
"ignorante". Tem gente que é agradavelmente...
ignorante.

## 550

Os cidadãos do Império Romano construíam
suas camas enchendo de palha um saco de tecido.
O saco tinha que ser esvaziado todos os dias,
para que a palha secasse. Por isso as camas
tinham de ser refeitas a cada noite.
Não teria sido mais fácil inventar o colchão?

## 551

**A PANTOFOBIA É O MEDO DOS MEDOS.
NA BOA, ESTE DADO DÁ ATÉ MEDO.**

### 552

A letra mais antiga no alfabeto é o "O",
usado pela primeira vez pelos egípcios, uns 3.000
anos antes de Cristo. Ou seja, antes dessa época,
todo "Osvaldo" era chamado de "Svald".

### 553

**É PROVÁVEL QUE A ÁSIA TENHA HERDADO
SEU NOME DA PALAVRA ASSÍRIA *ASU*. "ASU" QUE SIM!**

### 554

Se você viaja de Oeste para Leste, por exemplo,
do Japão para a Califórnia, ganha um dia:
a terça-feira vira segunda. Se fizer o sentido
contrário, a segunda vira terça. Melhor viajar
na quarta, para evitar problemas.

### 555

Quando se usa um telefone celular ao guiar
um carro, o risco de acidentes aumenta 34%.
Não existem estatísticas sobre o que acontece
quando você atende o celular e brinca com
carrinhos ao mesmo tempo.

 **556** 

A gazela, um antílope africano, não bebe água.
Toda a água que ela necessita é aproveitada dos
alimentos que come.

**557**

*Laser* significa *Light Amplification by Stimulated
Emissions of Radiation* (luz amplificada por
emissões estimuladas por radiação). Quando
o Darth Vader dispara seu sabre de luz, acontece
toda essa explicação que acabamos de dar.

**558**

Tricotilomaníaco é aquele que arranca
o próprio cabelo compulsivamente.
Não, você não é tricotilomaníaco quando
faz a sua mãe se descabelar; é apenas uma
criatura muito levada.

**559**

*Aladim e a lâmpada maravilhosa*
é uma das mais famosas histórias do livro
*As mil e uma noites.*

### 560

O nome completo da cidade de Los Angeles,
nos Estados Unidos, é *El Pueblo de la Reina
de los Ángeles sobre el Río de la Porciúncula*.
Melhor dizer L. A., que é mais fácil.

### 561

As girafas têm a mesma quantidade
de vértebras no pescoço que os humanos: sete.
Mas as delas são umas megavértebras.
Não fosse assim, não teriam
um pescoço tão comprido!

### 562

O rugido dos leões na selva significa que estão
marcando território. Por via das dúvidas, não se
aproxime, se não quiser ouvir, em vez de rugidos,
o som de umas boas mordidas.

### 563

Os crocodilos nunca brincam entre eles.
Quando mordem o rabo uns dos outros
é porque estão brigando. Mas também, do que
você queria que os crocodilos brincassem?
De Banco Imobiliário?!

**564**

Madame de la Bresse usou suas economias
de 125.000 francos para comprar roupas para
os bonecos de neve de Paris, na França!
Oh, coitadinhos, os bonecos passam frio,
se não estão bem agasalhados...

**565**

O queijo parmesão recebeu esse nome
por causa da cidade italiana de Parma.
Poderiam ter colocado parmamoso, parmelado,
parmamado, parmanense... Opções não faltavam.

**566**

No estado de Kentucky, Estados Unidos,
é proibido jogar ovos em um orador em público.
Mas jogar tomates, tudo bem!

**567**

Os pterossauros eram uma espécie de lagartos
voadores gigantes que competiam com as
aves pelo domínio dos céus. Entraram em
extinção há uns 65 milhões de anos.

### 568

O milho é uma planta grande que pode
crescer em qualquer lugar: das regiões polares
até as cálidas florestas tropicais. Mas não
vá plantá-lo nos pólos, senão você vai
acabar morrendo de frio.

### 569

Apenas algumas espécies de piranhas são
carnívoras; muitas comem frutas. Agora você
deve estar se perguntando: como fazem para
descascar uma laranja? Vamos responder:
com garfo e faca, é lógico!

### 570

Quando os gorilas batem no peito com os punhos,
normalmente é emoção. Melhor assim do que se
emocionarem batendo na sua cabeça!

### 571

O queijo suíço é logicamente da Suíça, mas lá
ele é chamado de *emmenthaler*. Claro, porque
lá já sabem que é um queijo suíço.

**572**

Se amarrarmos um elefante a um estacionamento eletrônico em Orlando, nos Estados Unidos, temos de pagar como se fosse um carro. Já que é assim, onde vamos pôr gasolina no pobre animal? Pela tromba ou pelo outro lado?

**573**

Nos Estados Unidos, gastam-se anualmente quase 60 bilhões de dólares com produtos de beleza. Na Europa, cada pessoa gasta 50 dólares por ano, só com sorvetes. Melhor gastar com sorvetes... que beleza!

**574**

Até o século 4 os Reis Magos eram dois, quatro, seis, 12 ou 60, conforme a tradição. Escolheríamos a tradição com 60: imagine a quantidade de presentes para o menino Jesus!

**575**

Os *torrones* foram incorporados à mesa de Natal por volta do século 16. Desde então, todos começaram a quebrar os dentes, e os dentistas, a ganhar mais dinheiro.

**576**

Em 1943, Thomas Watson, diretor da IBM, declarou: "Acredito que existe um mercado mundial talvez para cinco computadores". Acertou na mosca!

**577**

Uma pessoa morre mais rápido por não dormir que por não comer. O homem suporta só dez dias sem sono, mas consegue permanecer semanas sem comer. Então, quando queremos ficar na cama e matar aula, estamos na verdade contribuindo para a nossa boa saúde.

**578**

Tricofobia é ter medo do cabelo. Mas o que um cabelo pode fazer?! Um cavalo pode dar coice, mas um cabelo?! O que um cabelo pode fazer?!

**579**

Nossos olhos são sempre do mesmo tamanho
a vida inteira, mas nosso nariz nunca para
de crescer. Melhor, assim fica mais fácil pôr
o dedo lá dentro para tirar melecas.

**580**

O chocolate contém feniletilamina, substância
natural que estimula no corpo a sensação de estar
apaixonado. Ou seja, dê um quilo de chocolate
para a garota ou garoto que você gosta e... veja
como ele/ela cai aos seus pés!

**581**

Uma folha de papel de qualquer tamanho ou textura
não pode ser dobrada ao meio, e por sua vez, ao
meio de novo, por mais de oito vezes. Mesmo que
você coloque um elefante em cima dela!

**582**

Antes da batalha, os centuriões romanos
faziam as unhas e depilavam as pernas. Estavam
indo para a guerra ou para um baile?

**583**

Em Turim, cidade do norte da Itália, mais
de 40 mil pessoas cultuam o diabo. E os que não o
cultuam dizem: "Vão para o inferno!". Que loucos!

**584**

No nosso cérebro, todos os dias morrem mais
de cem mil neurônios, que nunca mais são
repostos. Tem gente da televisão que, pelo jeito,
já perdeu quase todos...

**585**

Produzimos todos os dias um centilitro
de lágrimas, chorando ou não. Mas já que é assim,
choremos então para a mamãe comprar
os doces que pedimos!

**586**

O coração de uma criança de um ano bate 125
vezes por minuto; aos 80 anos, o coração de uma
pessoa bate apenas 80 vezes por minuto. É lógico!
Nessa idade o pobre coração já está cansado...

**587**

A COCA-COLA ERA ORIGINALMENTE VERDE.
DEPOIS SE DERAM CONTA DE QUE ERA SPRITE.

Uma pessoa normal ingere por volta de 20 mil litros de água durante toda a sua vida, mas um elefante bebe isso em apenas três meses. Quando o elefante tem vontade de ir ao banheiro, é capaz de fazer um lago só com um xixizinho.

"A grandeza de um homem está em saber reconhecer sua própria insignificância", falou Blaise Pascal. Aqui entre nós... será que não foi o Pequeno Polegar?

O grande músico Ludwig van Beethoven ficou surdo. E não foi por escutar sua própria música!

São 12 os signos do Zodíaco: o primeiro é Áries, e o último, Peixes. O resto... procure você mesmo, senão o livro vai ficar comprido demais!

O homem levou 22 séculos para calcular a distância entre a Terra e o Sol. Pelo jeito, ele não tinha pressa.

**593**

O maior império da história da humanidade
foi o Império Britânico, no século 19.
Depois os britânicos sossegaram e deixaram
os outros países em paz.

**594**

A Torre de Hércules, nos arredores
de La Coruña, na Espanha, é o farol mais antigo
ainda em funcionamento.

**595**

Na Itália não se pode tirar carteira de motorista
sem saber andar de bicicleta. Sobre quem sabe
andar de skate não se fala nada, não?!

**596**

O carro mais vendido da história
é o Corolla, da Toyota. Portanto, se quiser
ser original, escolha outro.

23% dos problemas nas máquinas de xérox
no mundo são causados por pessoas que
sentam em cima delas e xerocam a bunda.
Essas, sim, foram longe demais!

Harry Stevens inventou o canudinho.
O nome não importa: o importante é que você
pode continuar assistindo ao seu jogo enquanto
toma um refrigerante, sem derramar tudo no sofá.

O ponto vermelho na testa das mulheres hindus
significa que se trata de uma mulher casada.
Ainda bem que não tatuam a palavra "casada",
pois ficaria muito feio.

A Nova Zelândia foi o primeiro país
a permitir o voto feminino, em 1893.

ALBERT EINSTEIN FOI O AUTOR
DA TEORIA DA RELATIVIDADE.

**602**

O rei Carlos VII parou de comer com medo
de ser envenenado e morreu de fome.
Ficou tão fraquinho que quase foi enterrado
na caixa de um violino.

**603**

Por que dizem que a nobreza tem sangue azul?
Como não trabalhavam no campo, os nobres
tinham a pele sempre muito branca, o que fazia
com que as veias parecessem azuis.

**604**

A Terra viaja a uma velocidade
de 106 mil quilômetros por hora ao redor
do Sol. Tinha que levar uma multa por
andar tão rápido por aí!

**605**

O escritor Ralph Waldo Emerson disse que "nunca
existiu nenhuma criança fofa o suficiente para
que a mãe não quisesse colocá-la para dormir".
Igual a sua mãe, que não vê a hora de você dormir
e parar de encher a paciência.

### 606

Tentar segurar um espirro pode romper
um vaso sanguíneo na cabeça ou no pescoço
e ser fatal. Já que é assim, melhor espirrar
na cara de alguém.

### 607

Clinofobia é o medo de deitar na cama.
Será que é por isso que alguns garotos dormem
sentados durante a aula?

### 608

Em 1853, John Coffee construiu uma prisão em
Dundalk, na Irlanda. Foi à falência por causa do
projeto e se tornou o primeiro preso de sua própria
prisão. Dizer que é tonto é muito pouco!

### 609

"Não gostamos do som, e a guitarra
está fora de moda", disse a Decca Recording
Company, em 1962, ao recusar os Beatles.
Que visão de futuro!!!

**610**

Joana, "a Louca", rainha espanhola,
manteve o corpo do marido sem enterrar
por vários meses, com medo de que alguma
ex-amante o roubasse. De vez em quando abria
o caixão para conferir se o corpo ainda estava lá.
Agora entendemos o porquê do apelido.

**611**

As abelhas já nascem do tamanho
que terão a vida inteira. Se crescessem, seriam
tão grandes que não poderiam voar.

**612**

Nos Estados Unidos se consomem cerca
de 3.040 milhões de litros de água engarrafada
por ano. É o mesmo tanto que você tem
vontade de beber, quando come três pacotes
de batatas fritas.

**613**

As moscas têm 15 mil papilas
gustativas nas patas. Não sabemos se sentem
chulé em tudo que comem.

**O CÉREBRO DE UM CROCODILO
É DO TAMANHO DO NOSSO DEDO POLEGAR.**

O dramaturgo grego Sófocles chegou a escrever
123 tragédias. Não conseguia fazer ninguém rir.

Niels Henrik David Bohr, físico dinamarquês,
deixou grandes contribuições para o entendimento
da estrutura do átomo. E olha que nem podia
vê-lo, de tão pequeno que é.

Uns dois banquetes reais custavam
à rainha Isabel, "a Católica", tanto quanto
patrocinar a primeira viagem de Cristóvão
Colombo ao novo mundo. Que comilões!

**618**

O maior crustáceo do mundo é o caranguejo
gigante do Japão. Embora seu corpo tenha apenas
33 centímetros, suas patas têm mais de 5 metros.
Resultado: para ele é difícil encontrar uma
calça que vista bem.

**619**

O ser humano tem mais de 600 músculos;
uma lagarta, mais de 2 mil. Ainda bem
que elas não fazem musculação, porque senão
teriam músculos gigantes e nos matariam
com seus golpes.

**620**

A girafa é o único mamífero que não tem
cordas vocais e, portanto, é completamente muda.
Mas também uma girafa não tem muito
o que dizer.

**621**

O satélite natural Europa pertence
à órbita do planeta Júpiter. Veja bem,
não estamos falando da Europa, o continente.
Se fosse assim, haveria franceses, alemães,
espanhóis e italianos em Júpiter.

## 622

O crocodilo do Nilo pode chegar a 7 metros
de comprimento. Já o valentão que tirou essas
medidas tinha colhões com o dobro de tamanho.

## 623

**A NOSSA MAIONESE, QUE OS ESPANHÓIS
CHAMAM DE SALADA RUSSA, NA RÚSSIA A CHAMAM
DE SALADA AMERICANA. VAI ENTENDER...**

## 624

Na Austrália há uma espécie de minhoca
que pode crescer até 3 metros. É usada como
isca para pescar baleias.

## 625

A fêmea do cavalo-marinho põe seus ovos
no macho: ele é quem fica grávido.
E os cavalos-marinhos, quando nascem,
dizem o quê? Papai ou mamãe?

### 626

O alemão Michael Schumacher
é o piloto de Fórmula 1 que ganhou mais
campeonatos na categoria: um total de 7.
Ninguém conseguia alcançá-lo!

### 627

O americano Stephen King é o escritor que vendeu
mais livros de terror no mundo inteiro. Vendeu
tantos livros que os números são... assustadores!

### 628

O jogador argentino Messi nunca jogou
uma partida da primeira divisão do futebol
de seu país. Aos 13 anos, foi para a Espanha,
contratado pelo Barcelona.

### 629

O autor da peça teatral *Dona Rosinha,
a solteira*, é o espanhol Federico García Lorca.
Repare que interessante: o sobrenome Lorca é
calor, só que ao contrário!

**630**

Um hipopótamo corre mais rápido que um
homem. Pode chegar a 40 quilômetros por hora.
Gordo, mas rápido.

**631**

A paleontologia é a ciência que estuda
os seres orgânicos desaparecidos, a partir de seus
restos fósseis. Os paleontólogos são os caras que
juntam ossos e depois montam aqueles
dinossauros enormes... entre outras coisas.

**632**

Um dos insetos mais fortes é o besouro-atlas.
Ele consegue levantar mais de 800 vezes o peso
do próprio corpo, o que equivale a um homem
levantando um tanque. Mas um tanque esse
besouro não consegue levantar.

**"CAÇAPO" É O FILHOTE DO COELHO.
NÃO É A TEMPORADA DE CAÇA AOS SAPOS.**

JRR Tolkien escreveu a saga
*O senhor dos anéis.* Livros grandes demais... melhor
assistir aos filmes.

**O SINÔNIMO DE CACHORRO É CÃO. MAS ESSA
INFORMAÇÃO NÃO VAI FAZER DIFERENÇA NENHUMA,
QUANDO VOCÊ ESTIVER FUGINDO DE UM.**

Shakespeare escreveu *Romeu e Julieta,* história em
que dois jovens namorados acabam mortos porque
suas famílias se odiavam. Ele deveria ter escrito
outra coisa mais divertida.

Louis Pasteur descobriu a vacina contra a raiva.
Cá entre nós, também poderia ter feito uma
vacina contra os pitis que a mamãe dá quando
não nos comportamos bem.

**638**

O INCRÍVEL HULK É VERDE.
SE FOSSE AZUL, SERIA O INCRÍVEL SMURF.

**639**

"México" significa "no umbigo da Lua",
do náhuatl *Metztli* "Lua" e *Xictli* "umbigo".
Quando você não tiver nada para fazer,
pode ir coçar o "xictli".

**640**

O SINAL DE PONTUAÇÃO MAIS USADO
NO MUNDO É A VÍRGULA.

**641**

Existem metais que podem ser cortados
com faca. Mas lógico que não com uma faca
de borracha ou plástico!

### 642

As grandes montanhas crescem
de um a nove centímetros em um ano.
E sem usar salto alto.

### 643

**AS FLECHAS SÃO DISPARADAS COM ARCOS.
MAS NÃO SÃO OS ARCOS DO TRIUNFO.**

### 644

O conto é mais curto que o romance.
Não é o caso deste livro, que não é um conto,
nem um romance.

### 645

"Sinônimo" é uma palavra que significa
a mesma coisa que outra. Por exemplo:
"bobo e besta". Entendeu, cabeção?

### 646

Quando correm, por um momento, os cavalos
ficam com todas as patas no ar. Mas só por um
momento, senão seriam aves e sairiam voando.

## 647

A girafa é o único animal que nasce
com chifres, que vêm plantados na cabeça.
Mas em uma semana eles brotam,
sem que precise regá-los.

## 648

O cérebro é dividido em dois hemisférios.
Embora existam garotos que não têm nem
cérebro nem hemisfério nem nada!

## 649

Pelas artérias passa o sangue com oxigênio,
e pelas veias, o sangue com dióxido de carbono.
Mas quando você cai da bicicleta e machuca
a cabeça, a única coisa que importa é que
o sangue volte a passar pelas artérias
e pelas veias, não por fora!

## 650

Em um relógio, os ponteiros marcam
as horas e os minutos. A não ser que
seu relógio seja digital e mostre as horas
com numerozinhos só de pirraça.

### 651

A capital da China é Pequim, e a da Índia,
Nova Délhi. Só para o caso de você cair numa
dessas cidades um dia desses, andando de carro.

### 652

**AS PESSOAS QUE EXERCEM A JUSTIÇA
SÃO OS JUÍZES. MAS EM SUA CASA É A SUA MÃE
(E AI DE VOCÊ SE NÃO OBEDECER).**

### 653

A montanha mais alta da América
é o monte Aconcágua, com quase 7.000 metros de
altura. Melhor olhar para ele de baixo para cima,
porque subir pode ser meio trabalhoso.

### 654

A Copa Libertadores da América
é o maior campeonato de futebol da América
Latina. É uma copa, mas acontece nos campos,
não na copa das árvores.

### 655

Na natação há um estilo chamado borboleta.
Entretanto, os nadadores não saem voando
acima da piscina.

### 656

*Ben-Hur* (1959), *Titanic* (1998) e
*O senhor dos anéis: o retorno do rei* (2003) foram
os filmes mais premiados com Oscar:
11 estatuetas. No caso de *Titanic*, tiveram
que buscar o prêmio nadando.

### 657

Algumas regiões da Antártida estão congeladas
há 13 milhões de anos. E sem freezer!

### 658

Victor Hugo, romancista francês,
disse que "quando a criança destrói o brinquedo,
parece estar buscando a alma que há nele".
Já o selvagem do seu irmão conseguiu destruir
até a alma dos brinquedos!

### 659

A capital do Brasil foi o Rio de Janeiro até 1960;
depois passou a ser Brasília.

## 660

Uma partida de futebol dura dois tempos
de 45 minutos cada um, com um intervalo
de 15 minutos entre os dois.
Mas os que não correm... vão descansar do quê?!

## 661

**O DIA TEM 86.400 SEGUNDOS.
E VOCÊ GASTA 43.200 PARA DORMIR!**

## 662

A Antártida abriga 70% da água doce do planeta.
Mas se você quiser a água de lá, vai ter de chupar
tanto gelo, que ficará com a língua dura.

## 663

*Tintin*, personagem dos quadrinhos,
nasceu em Bruxelas (Bélgica), no dia 10 de janeiro
de 1929. E continua vivo!

**664**

A *cumbia* é um gênero musical próprio
da costa colombiana do Caribe, mas espalhou-se
por toda a América. Que sorte! Mais um ritmo
para mexermos as cadeiras!

**665**

**A CAPITAL DO CAZAQUISTÃO,
PAÍS EURO-ASIÁTICO, É ASTANA.**

**666**

O 666 é o número do mal, da besta.
Não estamos falando do seu vizinho,
mas sim de uma simbologia bíblica.

**667**

O primeiro controle remoto para televisão foi
desenvolvido por Zenith Radio, em 1950.
Viva Zenith Radio! Se não fosse ele, teríamos que
levantar sempre que quiséssemos mudar de canal.

**668**

O vocalista do U2 é Bono
(bem mais fácil de pronunciar que Paul David
Hewson, seu nome verdadeiro).

**669**

O NOME CIENTÍFICO DA BATATA É *SOLANUM TUBEROSUM.* MELHOR CHAMÁ-LA DE BATATA MESMO!

**670**

O neon pertence à família dos gases nobres.
Não é como os gases que o seu irmão solta,
que de nobres não têm nada.

**671**

OS CAVALOS SÃO HERBÍVOROS.
POR ISSO, PODEMOS ACARICIÁ-LOS, QUE NÃO CORREMOS
O RISCO DE COMEREM NOSSAS MÃOS.

**672**

O primeiro imperador de Roma foi Otávio,
também conhecido como Augusto. Pode ser que
o tenham chamado de Tato, para facilitar.

**673**

O escritor francês Jean-Paul Sartre escreveu
o livro *O ser e o nada.* Apesar do nada, o livro
tem muito a dizer.

**674**

O dramaturgo Luigi Pirandello escreveu a obra
teatral *Seis personagens à procura de um autor*.
Leia e veja se no final eles o encontraram
ou se continuam procurando.

**675**

Os ferros de passar do século 18 eram maciços
e de ferro fundido. Eram tão pesados que,
para passar uma camisa, precisavam de umas
vinte pessoas no mínimo para segurá-los.

**676**

A esposa de Cláudio I de Roma
tentou matá-lo com cogumelos venenosos.
O médico tentou levá-lo a vomitar fazendo
cócegas em sua garganta com uma pena de ave.
Ele engasgou com a pena e morreu.
Aqui, a emenda saiu pior que o soneto.

**677**

A Espanha é um dos grandes produtores de
azeitonas do mundo. O que não se sabe é onde
cospem tantos caroços depois de comê-las.

Os desenhos que os egípcios faziam para escrever chamam-se "hieróglifos". Já os que a sua irmãzinha faz são garranchos mesmo.

Um leitão não é um garrafão de leite, mas um porco pequeno que ainda toma leite, só que das tetas da mãe.

O extintor de incêndio foi inventado em 1813 por William George Manby. Ele não queimou as pestanas pensando nisso!

**681**

A roda foi inventada por volta do ano 4000 a.C.
Antes dessa época tínhamos que levar
as bicicletas no ombro, porque sem rodas elas
não iam a lugar algum.

**682**

O boldo é uma planta originária do Chile,
cujas folhas ativam a secreção de saliva
e de sucos gástricos. É por isso que seu pai, depois
de comer como um louco, toma um chazinho
de boldo para se sentir melhor.

**683**

Um planeta é um corpo sólido celeste que gira ao
redor de uma estrela e que se torna visível devido à
luz que reflete. Ou seja, por mais que você acenda
uma lâmpada, ninguém vai ver você no Universo.

**684**

O primeiro secador de cabelo portátil foi
inventado em 1920, pela Racine Universal Motor
Company dos Estados Unidos. Alguém deve ter
tido que molhar a cabeça para poder testá-lo.

**685**

OS *PADRINHOS MÁGICOS* É UM DESENHO ANIMADO,
CRIADO POR BUTCH HARTMAN EM 2001.

**686**

Os primeiros Jogos Olímpicos da era moderna
aconteceram em Atenas, na Grécia, em 1896.
Os esportistas, ao ganhar, diziam:
"Grécias a Deus, Grécias a Deus".

**687**

No dia 1º de julho de 1914, o cientista britânico
Archibald Low apresentou o primeiro modelo de
televisor. Mas naquela época ainda não passavam
desenhos, nem programas de comédia!

**688**

SAPOTI É O NOME DE UMA FRUTA.
NÃO É O BICHO QUE VOCÊ ESTÁ PENSANDO AGORA.

**689**

Os derivados do leite contêm vitaminas
A, D, B12 e outros minerais, como o fósforo.
Mas com esse fósforo você não vai ficar aceso,
pode continuar tomando leite numa boa.

**690**

Uma emoção é um movimento da alma
ou do ânimo, algo que nos sacode ou nos comove.
Não vamos continuar explicando para você
não chorar de emoção.

**691**

*Naruto* é um mangá criado por Masashi Kishimoto,
que depois se tornou um animador. Muitas pessoas
confundem *Naruto* com "narigudo", o que não faz o
menor sentido.

**692**

As hortaliças são todas as plantas
cultivadas em uma horta, sejam elas
comestíveis, cruas ou cozidas.
Por isso, o capim não entra nessa definição
(a não ser que você seja uma vaca ou um cavalo).

**693**

O verdadeiro nome da cantora Madonna
é Louise Veronica Ciccone Fortin.
Melhor chamá-la de Madonna,
o outro nome é muito longo.

**694**

A PALAVRA "BELDROEGAS" SIGNIFICA "BOBALHÃO".
ISSO É PARA VOCÊ VARIAR E NÃO USAR SOMENTE
"BOBO" OU "TONTO".

**695**

Kart Benz foi o primeiro a patentear um veículo,
em 1886. Era uma espécie de triciclo com motor.

**696**

O chinês Ling-la, por volta do ano 3000 a.C.,
fabricou a primeira flauta de bambu, com apenas
cinco furos. Ainda bem que não fez 300 furos,
senão os dedos não bastariam para tocá-la.

**697**

Os crocodilos podem comer uma única vez
ao ano. Mas para não ficarem com fome,
devem comer um elefante!

**698**

O desenho animado *O laboratório de Dexter* foi
criado por Genndy Tartakovsky em 1996.

**699**

Um "antônimo" é uma palavra que significa
o contrário de outra, como "burro" e "inteligente".
Entendeu, seu inteligente? (Nunca o chamaríamos
de burro, porque se você está lendo este livro,
é sinal de que é muito inteligente.)

**700**

*Branca de Neve* foi o primeiro
longa-metragem animado em língua inglesa.
Embora vejamos o filme em português,
originalmente os anõezinhos falavam inglês.

**701**

O mar Egeu é a porção do mar Mediterrâneo
que banha as costas da Grécia e da Turquia.
Se banha toda a região, ela deve ficar limpinha!

**702**

A capital da Albânia, na Europa, é Tirana.
Não sabemos se seus habitantes são
tiranos ou bonzinhos.

**703**

O ESCORPIÃO PODE VIVER 15 ANOS OU MAIS.
ISSO SE UM DISTRAÍDO NÃO PISAR NELE ANTES.

**704**

O lugar mais frio da Terra é Vostok,
na Antártida: a temperatura pode chegar
a 88 graus abaixo de zero. Mas no verão,
tudo muda: chega a 87 graus abaixo de zero!

**705**

O cérebro humano pesa em média 1.380 gramas.
Mas não tente arrancar o seu da cabeça
para conferir, por favor!

**706**

Os gatos eram sagrados para os egípcios,
na época dos faraós.

**707**

O ALHO É BOM PARA O CORAÇÃO. MAS NÃO PARA O HÁLITO,
SE VOCÊ ESTIVER COM INTENÇÃO DE BEIJAR ALGUÉM!

**708**

Uma partida de basquete da NBA dura 4 quartos
de 12 minutos. Ou 2 tempos de 24 minutos.
Ou 48 minutos no total. Pode escolher
o que gostar mais, afinal, dá no mesmo!

**709**

O CORAÇÃO HUMANO TEM QUATRO CAVIDADES:
DUAS AURÍCULAS E DOIS VENTRÍCULOS.

**710**

O ferreiro alemão Johannes Gutenberg inventou
a imprensa móvel, o que facilitou a impressão de
livros, tornando-a mais rápida. Valeu, Gutenberg!
Se não fosse você, este livro não existiria.

**711**

William Harvey descobriu como
o sangue circula pelo corpo.
Mas não explicou como ele circula
quando uma ferida sangra.

**712**

Uma pessoa normal tem mais de 1.460
sonhos por ano. Mas como você dorme demais...
talvez chegue a um milhão!

### 713

O espermatozoide é a célula
reprodutora masculina que fecunda o óvulo,
que é a célula feminina. Como ele consegue?
Peça para os seus pais explicarem!

### 714

Em 1961, o russo Yuri Gagarin fez
o primeiro voo orbital em volta da Terra,
com duração de 108 minutos.

### 715

**DO PETRÓLEO DERIVAM OUTROS PRODUTOS,
COMO A GASOLINA, O ÓLEO DIESEL E O QUEROSENE.**

### 716

Um carro de Fórmula 1 pode alcançar,
em uma reta, uma velocidade de quase
400 quilômetros por hora. Fiuummmmm!

### 717

A Inglaterra foi o primeiro país a usar a borracha
escolar. Infelizmente, não inventaram uma
borracha que apague você da aula bem na hora em
que a professora o chama para passar a lição.

**718**

A cada quatro anos há um ano bissexto, ou seja,
um ano no qual o mês de fevereiro tem um dia
a mais. Se for época de férias, iuhuuuuuuu!

**719**

Em 1940 surgiu o primeiro microscópio
eletrônico, que serve para ver coisas bem pequenas
(como o minicérebro do seu irmãozinho).

**720**

Em 1947, quebraram a barreira
do som pela primeira vez, com um avião
modelo Bell X-1. Depois disso, não
sabemos quem a consertou.

**721**

**O ARROZ VEIO DA ÍNDIA.**
**O ARROZ COM FRANGO... NINGUÉM SABE.**

**722**

A pintura existe nas sociedades humanas
desde o final da civilização paleolítica,
entre os anos 10000 e 30000 a.C.
E olha que nem existiam lápis!

O livro *As aventuras de Pinóquio* foi escrito por
Carlo Collodi em 1882. Pinóquio era um boneco de
madeira que queria ser menino de verdade (coisa
que seus pais também querem conseguir com seu
irmão, mas ele nem sempre colabora...).

O filósofo Descartes disse
"Penso, logo existo". Ou seja, se não
pensarmos muito, talvez não existamos.
Ou existamos pouco.

O compositor Noel Rosa
e o cantor Samuel Rosa, do Skank,
não são parentes. Fala sério!

O livro *As viagens de Gulliver* foi escrito por
Jonathan Swift, em 1726. Ele viajava de barco...
porque nessa época ainda não existia o avião!

**727**

O signo de Capricórnio é representado
por uma cabra. Claro, se fosse por uma vaca,
o signo seria Vaquicórnio.

**728**

O último ser humano a pisar na lua foi
Harrison H. Schmitt, piloto do módulo lunar
da missão Apolo 17, em dezembro de 1972.
Ninguém se lembra dele porque foi o último...
talvez até o tenham esquecido por lá!

**729**

O personagem grego Ulisses também
é conhecido como Odisseu. Daí vem o nome
do livro *Odisseia*, que conta as aventuras
de Odisseu, que foram uma verdadeira odisseia...
Talvez seja mais fácil chamá-lo de Ulisses!

**730**

Os irmãos Grimm escreveram o conto
*João e Maria*, sobre dois irmãozinhos
que se perdiam no bosque e uma bruxa
que queria comê-los.

**731**

O ator Peter Weller foi o protagonista
do filme *Robocop*, no qual um policial
se transforma em um robô de metal.
Mas o ator era de carne e osso.

**732**

**A CAPITAL DA SUÉCIA É ESTOCOLMO.
COMO? NÃO NOS PERGUNTE!**

**733**

Para os astecas,
o deus da morte se chamava Mictlān
(mas ninguém queria chamá-lo).

**734**

Um sinônimo para mentir é enganar. Mas agora
não estamos nem mentindo, nem enganando...

**735**

No *rugby* é preciso levar a bola até o final
do campo adversário. O nome disso é *try* e vale
cinco pontos. Detalhe: para se conseguir isso
é preciso passar no meio de uma confusão de
adversários, levando pancadas e empurrões
que podem quebrar qualquer um.

**736**

O planeta Marte tem dois satélites naturais:
Deimos e Fobos. Buahhh, ganhou de nós,
que só temos a Lua...

**737**

Antes da reforma ortográfica, os portugueses
escreviam "acção"; agora têm que escrever
"ação", como nós. Até que se deram bem;
vão gastar muito menos tinta.

**738**

Os puns menores e silenciosos são os mais
perigosos. Que malvados são esses pequenininhos!

**739**

As baratas podem sobreviver até nove dias
sem a cabeça. Não é tão surpreendente:
há atores na televisão que não têm cabeça,
nem cérebro, nem nada... e vão levando.

**740**

Em 2006, a União Astronômica Internacional
decidiu rebaixar de categoria o planeta Plutão:
ele deixou de ser um dos nove planetas
do Sistema Solar, para ser um planeta anão.

**741**

Os glóbulos vermelhos e os eritrócitos são a mesma
coisa (só que é mais chique dizer eritrócitos).

**742**

**CLEÓPATRA FOI A ÚLTIMA RAINHA
DO EGITO ANTIGO.**

**743**

O dedo mais gordo da mão é o polegar.
A não ser que você tenha batido o indicador e ele
tenha dobrado de tamanho, de tão inchado.

**744**

Quem inventou o papel foi o chinês Ts'ai Lun,
no ano 105 a.C. Não sabemos se era papel para
escrever ou papel higiênico.

**745**

A trofologia é a ciência que estuda
a combinação perfeita de ingestão dos alimentos.
Por exemplo, parece que comer hambúrguer,
batatas fritas e ovos, mais um refrigerante,
não faz muito bem (mas é tão bom!).

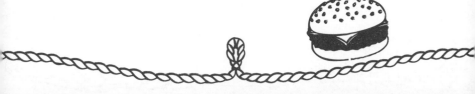

**746**

A série *A família Addams* foi criada
por Charles Addams. Ao que tudo indica,
o autor não tinha nada de louco.

**747**

A temperatura na superfície solar
é de 5.780 Kelvin. Não sabemos quanto é isso;
mas se chegar perto do Sol, por via das dúvidas,
passe bastante protetor solar.

**748**

A Sicília é a maior ilha do mar Mediterrâneo.
Acredite, vai: não precisa medir para conferir!

**749**

Davi matou o gigante Golias com uma funda.
Não, uma funda não é uma escopeta,
é um tipo de estilingue!

**750**

A profundidade média do oceano
é de uns 3.730 metros. Portanto, não vá muito
longe da beirada.

Só de usar fones de ouvido durante uma hora,
o acúmulo de bactérias no ouvido aumenta cerca
de 700 vezes. Então, depois de escutar o MP3,
lave as orelhas!

Estima-se que na bacia
do rio da Prata já afundaram cerca
de duas mil embarcações. E olha que fica
longe do Triângulo das Bermudas!

O maior quadro do mundo é *A batalha de
Gettysburg*. Foi pintado por Paul Philippoteaux e
seus colaboradores, em 1883. Mede 125 metros de
comprimento, 21 metros de altura e pesa 5,349
quilos. Se pendurado, pode derrubar a parede!

A nota de um dólar americano tem o rosto
de George Washington. Pobre George, antes
o tivessem colocado numa nota de 100!

**755**

Se você gritasse durante oito anos,
sete meses e seis dias, produziria energia
suficiente para aquecer uma xícara de café.
Mais fácil usar o micro-ondas, não?

**756**

Em 2020 haverá mais gente vivendo
nas cidades que no campo. Para não se sentirem
sozinhas, as vacas também irão para cidade.
Assim poderemos tê-las em casa como bicho
de estimação, no lugar dos cachorros.

**757**

A FAMOSA TORRE EIFFEL FICA EM PARIS
E SUA ALTURA É DE 324 METROS.

**758**

O poeta nicaraguense Rubén Darío
foi o maior expoente do Modernismo.

**759**

O RIO RIN NASCE NOS ALPES SUÍÇOS.
NÃO SE SABE SE O PARTO É NATURAL OU CESÁREA.

**760**

O nome completo do imperador romano
Augusto era Caio Júlio César Otaviano Augusto.

**761**

AS NOZES SÃO FRUTAS SECAS.
NÃO SABEMOS QUEM FOI QUE TIROU A ÁGUA DELAS.

**762**

O rio mais comprido do México é o Bravo. Se você
nadar nele, todo mundo vai gritar: "Bravo!".

**763**

Dizem por aí que há vários inventores do avião.
Mas quem inventou mesmo o avião
foi o brasileiríssimo Santos Dumont.
Aha, uhu, o Dumont é nosso!

**764**

Os Jogos Olímpicos têm esse nome porque
antigamente eram realizados na cidade grega
de Olímpia. Se acontecessem em Connecticut,
seriam chamados de Jogos Connecticutianos.

**765**

**AS VACAS MUGEM. SE LADRASSEM, SERIAM CACHORROS
(OU VACAS BILÍNGUES).**

**766**

O imperador romano Nero gostava de tocar harpa.
(Só porque naquela época ainda
não existia a guitarra.)

**767**

**O FÍSICO JOHN ARCHIBALD WHEELER FOI O PRIMEIRO
A FALAR DOS "BURACOS NEGROS" NO ESPAÇO.**

**768**

O tamanduá se alimenta de formigas.
Depois de comê-las, com certeza sente
formigamento no estômago.

**769**

O carbono está presente em
todos os seres vivos. Mas seu tio, por ser maior,
tem mais carbono que você.

A rã é um batráquio anuro, isto é,
ela não tem cauda. Onde o deixou? Não sabemos.

O sorriso aparece nos bebês aos 4 meses de idade.
Já o choro insuportável que não acaba nunca...
logo que nascem!

O calor é uma forma de energia associada
ao movimento dos átomos.

**O MAR VERMELHO É AZUL.
PORÉM, O MAR AZUL NÃO É VERMELHO.**

O território italiano tem a forma de uma bota.
Mas não existe nenhum outro país que tenha
a mesma forma para completar o par.

**A CAPITAL DO IÊMEN, NA ÁSIA, É SANAA.**

No Dicionário da Real Academia Espanhola,
crateras lunares também são chamadas de "circos".
Mas estes não têm palhaços nem malabaristas.

O nome completo do libertador Simón Bolívar era
Simón José Antonio de la Santísima Trinidad
Bolívar Palacios Ponte y Blanco. Ele levava umas
três horas para assinar um documento.

O famoso filme *O poderoso chefão* foi
dirigido por Francis Ford Coppola. Ele não fez
*A poderosa chefona* porque não deu tempo.

**A LHAMA É UM CAMELÍDEO, DESCENDENTE DO GUANACO.
E QUE ADORA SE SUJAR DE LAMA!**

As rolhas usadas nas garrafas de vinho vêm
da casca de uma árvore chamada sobreiro.
Mas não adianta sair por aí procurando uma árvore
que dê tampinhas de plástico para refrigerantes.

Os camelos podem ficar até 17 dias sem beber.
Não vale a pena abrir um bar para camelos,
porque o negócio não vai dar certo...

Numa partida profissional, uma bola de beisebol
serve para fazer apenas sete lançamentos. Isso se
algum jogador não jogá-la para a torcida, antes.

O primeiro mapa foi feito pelo astrônomo
grego Anaximandro. A América não aparecia nele,
porque não consultaram Cristóvão Colombo,
que nem tinha nascido ainda.

Os botões foram criados 300 anos a.C.
Até essa época todos andavam pela rua
com a camisa aberta.

### 785

O primeiro *Play Station* foi lançado
dia 3 de dezembro de 1994. Não sabemos para onde
o lançaram... mas você gostaria que ele tivesse
caído bem perto de você, não é verdade?

### 786

Até a presente data, foram filmados
seis filmes da saga *Guerra nas estrelas* (*Star wars*).
De duas uma: ou tinham muito para contar ou...
não sabiam como terminá-la!

### 787

O café é uma bebida que se obtém por infusão
das sementes do cafezeiro. Mas é mais prático
comprar café instantâneo, para não fazer tanta
bagunça com as sementes.

### 788

As roseiras são arbustos espinhosos do gênero
das rosáceas. Lógico, porque se fossem do gênero
das craviláceas, dariam cravos. Nhé!

### 789

Já existiram várias espécies de mamute,
incluindo o mamute lanoso, de pelo comprido.
Era tanto pelo que, em vez de pulgas,
ele tinha doninhas na cabeleira.

### 790

O salame é um embutido originário da Hungria.
Pelo jeito os húngaros não gostavam nem de
presunto nem de mortadela.

### 791

Dizemos "nesse mato tem cachorro"
quando existe algo misterioso ou secreto.
Não é quando você vai pegar a bola na casa
do vizinho e desconfia que aquele lindo *pitbull*
vai pôr tudo a perder.

### 792

**A CAPITAL DO PERU É LIMA. MAS NÃO É LIMA-DA-PÉRSIA!**

### 793

O monte Narodnaya, de 1.895 metros
de altitude, é a montanha mais alta dos Urais.
Contamos isso para o caso de você se perder
e acabar aparecendo por lá.

Os cúmulos-nimbos são nuvens que costumam produzir chuvas intensas e tempestades elétricas.

Eurípides foi um grande poeta trágico da Grécia antiga. Mas trágico mesmo é o nome que os pais deram a ele, pobre menino!

O cavalo de Alexandre Magno se chamava Bucéfalo. Será que ele não podia ter dado um nome menos complicado, como Pedro ou Henrique?

A empresa Google foi fundada no dia 27 de setembro de 1998, por Larry Page e Sergey Brin. Nós encontramos este dado... na Wikipédia!

O bocejo dos felinos serve para levar mais ar para os pulmões. No seu caso, o bocejo vem por causa do tédio mesmo, quando está sem nenhuma travessura para fazer.

**799**

A sonda espacial Voyager 1 percorreu 150 bilhões
de quilômetros no espaço. Será que não está
perdida, sem saber como voltar para a Terra?

**800**

Na Lua há terremotos. Como lá não há nenhuma
casa que possa ser derrubada, ninguém se dá conta
deles. Aliás, eles deveriam se chamar luamotos.

**801**

AS AVES TAMBÉM TRANSPIRAM.
MAS NÃO USAM DESODORANTE!

**802**

É possível fazer inseticidas com limões.
Pelo visto, os insetos não gostam
de suco de limão.

**803**

A brincadeira da cabra-cega existe
há 2.000 anos. Naquela época
não existia videogame!

**804**

Clepsidras são relógios de água.
Quando perguntam que horas são
e você tem uma clepsidra, a resposta é:
"São duas gotas e meio litro".

**805**

Os chimpanzés têm mais memória
que os seres humanos.
Além disso... além disso... ai, esquecemos!

**806**

O rinoceronte-branco na verdade é cinza.
Só falta agora os rinocerontes-cinzas
serem brancos.

**807**

A maior escada rolante do mundo fica em Hong
Kong e mede 800 metros. Se não existisse...
imagine o tanto que teríamos que subir andando!

**808**

Há mais bactérias em um teclado de computador
que em um vaso sanitário. Lógico: as bactérias
não são bobas, elas também escolhem lugares
mais agradáveis para viver.

**809**

O primeiro computador digital eletrônico,
criado como máquina experimental, foi projetado
por John Presper Eckert e John William Mauchly,
em 1947. Pesava 27 toneladas e ocupava 167 m².

**810**

No Japão, dar gorjetas é considerado falta
de educação. Melhor, fique com o troco para
comprar balas (se estiver no Japão, é claro).

**811**

No antebraço temos um osso chamado rádio.
Mas não pense que com ele você vai conseguir
sintonizar seu programa de música favorito.

**812**

O medo de pronunciar palavras longas e complicadas
chama-se hipopotomonstrosesquipedaliofobia
(até você terminar de dizer essa palavra,
o medo já terá passado).

**813**

Os quadrinhos do Garfield apareceram pela
primeira vez em 1978. O desenho era diferente do
atual, mas não era o de um cachorro!

**814**

O maior inseto que existe é o besouro-golias, que
mede entre cinco e dez centímetros e pesa 100
gramas. Devia fazer uma dieta para perder peso!

**815**

As gaivotas choram para eliminar
sal do organismo. Com o ser humano
é diferente: chora quando não
lhe dão um chocolate!

**816**

**A LETRA "E" É A MAIS USADA NO IDIOMA ESPANHOL.
EEEEEEEEEEEH, É EXCELENTE!**

**817**

O pinguim-imperador pode chegar a 1,20 metro
de altura. Não dá para jogar basquete, mas,
para um pinguim, até que é bem alto.

**818**

A palavra "milhão" surgiu por volta do ano 1300.
Ainda bem que a inventaram, senão, como
diríamos: "quero ter um milhão de dólares"?

**819**

Há plantas que se comunicam entre si e até
com animais. Então não se surpreenda se vir uma
roseira falando ao celular.

**820**

O otimismo contribui para o aumento
da expectativa de vida. Vamos lá, ânimo!

**821**

"Jamais contente" é o nome do primeiro
automóvel elétrico. Criado em maio de 1899,
chegava aos 100 quilômetros por hora.

**822**

**URANO FOI O PRIMEIRO PLANETA
DESCOBERTO POR MEIO DO TELESCÓPIO.**

**823**

O Papai Noel se chama São Nicolau e trazia
moedas de ouro para aqueles que estivessem
precisando de ajuda na época do Natal. Coitadinhas,
as crianças de antes punham os sapatinhos...
Só moedas e nada de brinquedos!

### 824

A nitroglicerina, além de ser
um potente explosivo, é utilizada pelos médicos
para tratar doenças cardíacas.
Viu como tudo tem um lado positivo?

### 825

Em 1997, as linhas aéreas americanas
economizaram 40.000 dólares só por tirarem
uma azeitona de cada salada. Não sabemos
quanto teriam economizado se tivessem
tirado toda a salada...

### 826

**O NOME COMPLETO DO PATO MAIS FAMOSO
É DONALD FAUNTLEROY. QUAC!**

### 827

O músculo mais forte do corpo humano
é a língua. Então, por mais que o seu irmão
queira arrancá-la quando você a mostra,
ele não vai ter força suficiente.

**828**

A distância entre a Terra e o Sol
é de 149.400.000 quilômetros. Ainda bem que fica
longe, senão morreríamos de calor.

**829**

Um terço de todo sorvete
vendido no mundo é de baunilha.
Será que não conhecem o de chocolate?

**830**

Os chimpanzés e os golfinhos
são os únicos animais capazes de se reconhecer
diante do espelho.

**831**

**O CAMARÃO LIMPADOR SE ALIMENTA
DAS BACTÉRIAS QUE TIRA DOS PEIXES. AFF!**

**832**

O cérebro humano contém cem bilhões
de neurônios. Aproximadamente o mesmo
número de estrelas de nossa galáxia.
Somos brilhantes!

### 833

**O OCAPI, UM RUMINANTE DA ÁFRICA,
É O PARENTE VIVO MAIS PRÓXIMO DA GIRAFA.**

### 834

A torre mais inclinada do mundo
já não é a de Pisa, na Itália, mas sim a de uma
capela na cidade alemã de Suurhusen, com
5,07 graus de inclinação.

### 835

A goma de mascar e a bala ajudam
a acalmar a ansiedade e o estresse.

### 836

**O CAFÉ É A SEGUNDA BEBIDA MAIS INGERIDA
NO MUNDO. A PRIMEIRA É A ÁGUA.**

### 837

A palavra "ártico" vem do grego *arktikós*,
que significa "urso". Não sabemos se *medartikós*
quer dizer "medroso".

**838**

A China foi o primeiro país a usar
o papel-moeda, a partir do século 7.

**839**

SE VOCÊ JOGAR NINTENDO WII REGULARMENTE
PODE PERDER ATÉ 12 QUILOS EM UM ANO.

**840**

A Lua foi fotografada pela primeira vez
no dia 2 de janeiro de 1839.

**841**

O TIGRE É O MAIOR FELINO DO MUNDO.

**842**

Quando Isabel I da Rússia morreu, em 1762,
foram encontrados 15 mil vestidos dela.
A imperatriz costumava trocar de roupa duas ou
três vezes por noite. Coitado de quem tinha que
passá-las: não podia nem dormir!

**843**

AS SOBRANCELHAS PROTEGEM OS OLHOS
DO SUOR E DA CHUVA.

## 844

O vulcão mais alto do Sistema Solar
é o monte Olimpo. Encontra-se em Marte
e tem 27 quilômetros de altura, três vezes mais
que o monte Everest. Mas fica muito longe para
você ir ver se é verdade. Nem pense em escalá-lo!

## 845

**O VERDADEIRO NOME DA APRESENTADORA XUXA
É MARIA DA GRAÇA MENEGHEL.**

## 846

Os pássaros-carpinteiros
em um único dia podem comer até 900 larvas
de besouros ou mil formigas. Preferimos
a gororoba que o papai faz quando a mamãe
não pode cozinhar.

## 847

As fêmeas de chimpanzé são férteis até
os 50 anos, ou seja, quase até o final da vida.

**848**

Ler livros como este é algo sensacional para sua vida. O que mais podemos dizer? Quantos livros melhores você já leu? (Por favor, não responda...)

**849**

**HOMER É PAI DE BART, LISA E MAGGIE, E MARIDO DE MARGE. QUEM NÃO SABE DISSO?**

**850**

O dublador de Shrek era Bussunda, do programa humorístico de televisão *Casseta e Planeta*. Não deu para reconhecer com aquela cara verde e aquela pança? Igualzinho!

**851**

O peixe-lua tem um cérebro muito pequeno, comparado com seu tamanho. Em um exemplar de 200 quilos, o cérebro pode chegar a pesar apenas quatro gramas.

**852**

Barbie é a boneca mais famosa e vendida do mundo. Surgiu no dia 9 de março de 1959, na *American International Toy Fair*. Sua criadora foi Ruth Handler.

**853**

No dia 3 de outubro de 1914,
Mary Phelps Jacob patenteou uma peça
de roupa que substituiria o antigo
corpete e daria origem ao sutiã.

**854**

"Gaúcho" era sinônimo de "vagabundo"
e "contrabandista". Só depois do século 19,
com a literatura, esse significado mudou.
Mas os gaúchos continuam sendo
um alvo fácil das nossas piadas!

**855**

O *backgammon* é o jogo de mesa mais antigo.
Mas o jogo de mesa mais divertido
é jogar bolinhas de miolo de pão em quem
está na nossa frente.

**856**

Jauja é uma cidade peruana cuja fama
se deve a suas excelentes minas de ouro que,
na época dos conquistadores, proporcionou-lhes
uma vida ociosa e relaxada.

**857**

Em 1898, 14 anos antes
de o *Titanic* zarpar, o marinheiro americano
Morgan Robertson escreveu *Futility*, um romance
sobre um luxuoso barco que afunda em sua
viagem inaugural, após chocar-se contra um
iceberg no oceano Atlântico. Glub!

**858**

A capital da Bolívia é Sucre, embora
a sede do governo boliviano esteja na cidade
de La Paz desde 1899.

**859**

Para ler um jornal na China é preciso conhecer
aproximadamente 4 mil símbolos. Melhor ler um
jornal em português... é mais fácil...

**860**

Guido de Arezzo (995-1050) é considerado
o "Pai da Música". Foi ele quem deu nome
às notas musicais e idealizou o pentagrama.

**861**

As sete maravilhas do mundo antigo são:
os Jardins Suspensos da Babilônia (Iraque);
a Estátua de Zeus, em Olímpia (Grécia);
o Templo de Artemisa, em Éfeso (Turquia);
a Tumba do rei Mausolus (Turquia); o Colosso
de Rodes (Grécia); o Farol de Alexandria (Egito);
e a Pirâmide de Gizé (Egito). Esta última
é a única que permanece de pé.

**862**

A cerimônia de entrega do Oscar, a maior
premiação do cinema, acontece em Hollywood
desde 1928. Só que se realiza em um teatro!

**863**

Os russos, para se cumprimentar, beijam-se
na boca, seja entre homens ou entre mulheres.
O problema é se você encontra um russo
que acaba de comer cebola!

**864**

O PRIMEIRO ÁLBUM DE SHAKIRA SAIU EM 1991
E SE CHAMA *MAGIA*.

**865**

*Tetrix* é o jogo de videogame mais conhecido no mundo. Quantos dedos já não se gastaram durante todo esse tempo...

**866**

**A CAPITAL DA UCRÂNIA É KIEV. "KIEVERGONHA" NÃO SABER DISSO!**

**867**

Bornéu fica no sudeste da Ásia e é a terceira maior ilha do mundo. Bom, pelo menos ela conseguiu subir ao pódio.

**868**

A palavra "banheiro" vem do latim *balneum*. É o lugar onde vamos "lavaum" as mãos e fazer "cocoum".

**869**

A Disney World fica em Orlando, nos Estados Unidos da América. Por que não a construíram na esquina de nossas casas?

**870**

Os cães mexem o rabo quando estão alegres.
E nós mexemos as pernas, quando eles
querem nos morder.

**871**

A palavra "crocodilo" vem do grego κροκόδειλος.
Exatamente, é assim que se fala crocodilo em
grego (se você não acredita, pergunte a um grego).

**872**

Luis Miguel é um cantor mexicano que nasceu
em Porto Rico. Se tivesse nascido no México,
talvez hoje fosse portorriquenho (dá na mesma,
ele seria romântico do mesmo jeito...).

**873**

DENTRE TODOS OS INVERTEBRADOS, A LULA-GIGANTE
É A QUE TEM O MAIOR CÉREBRO.

**874**

Em maio de 1883, houve uma das explosões
vulcânicas mais fortes do planeta. O vulcão
Krakatoa estourou com tanta força, que a ilha
onde ele se encontrava explodiu junto.

**875**

Alguns animais se comunicam através
dos seus cheiros. Se seu irmão tentasse
se comunicar pelo cheiro dos tênis dele,
todo mundo sairia correndo!

**876**

*Asterix*, série de histórias em quadrinhos francesa,
foi criado pelo roteirista René Goscinny
e pelo cartunista Albert Uderzo.

**877**

O ouvido do morcego é tão sensível
que pode escutar as pisadas de um inseto.
Por isso os insetos andam na ponta do pé
quando veem um morcego.

**878**

Dar as mãos é um sinal de confiança
que vem da Idade Média, e mostrava que a pessoa
estava desarmada e com boa-fé, sem intenção
de machucar a outra.

Embora a origem da expressão "O.K." seja
duvidosa, uma das versões diz que na guerra civil
americana (1861-1865), quando as tropas voltavam
aos quartéis sem nenhuma baixa (morte),
escreviam em um quadro: *O Killed* (O mortos).

Uma ruiva natural tem cerca de
90 mil fios de cabelo, contra os 110 mil
de uma morena e os 150 mil de uma loira.
Quanto aos carecas, sem comentários...

O "J" É A ÚNICA LETRA QUE NÃO APARECE NA TABELA
PERIÓDICA DOS ELEMENTOS QUÍMICOS.

Está provado que o cigarro, além de ser nocivo
para a saúde, é a maior fonte de estudos
e estatísticas. Resta saber se os analistas
fumam enquanto pesquisam.

**883**

**AS COBRAS DE DUAS CABEÇAS
BRIGAM ENTRE SI PELA COMIDA.**

**884**

Uma única gota de petróleo é capaz de transformar
25 litros de água pura em água não-potável.

**885**

A cada ano, 98% dos átomos do corpo
humano são substituídos. E depois ainda dizem
que temos dificuldade em mudar!

**886**

A fórmula do oxigênio é "$O_2$",
e a do ozônio, "$O_3$".

**887**

**A MAÇÃ É COMPOSTA DE 84% DE ÁGUA.**

**888**

Os *ubanguis* eram uma tribo de canibais
que deixava a carne humana em potes com água
e óleo, antes de comê-la.

### 889

A palavra "bigode" vem do juramento *bei Gott* (Por Deus!), pronunciado no século 16 pelos soldados alemães liderados por Carlos V. O juramento era acompanhado do gesto de passar o dedo indicador da mão direita sobre o lábio superior, justamente onde fica o bigode.

### 890

A tartaruga-de-couro é a maior de todas as tartarugas ainda existentes. Pode chegar a dois metros e pesar mais de 600 quilos.

### 891

O SER HUMANO PRECISA DE NO MÍNIMO CINCO LITROS DE ÁGUA POR DIA PARA SOBREVIVER.

### 892

A Organização das Nações Unidas declarou o dia 12 de outubro de 1999 "Dia dos seis bilhões de pessoas": nessa data a população mundial alcançou este número.

### 893

A LUZ LEVA OITO MINUTOS E 17 SEGUNDOS PARA VIAJAR DO SOL ATÉ A SUPERFÍCIE TERRESTRE.

**894**

A palavra "pôquer" vem do alemão
*pochen* ("bater") e do inglês *brag*, que significa
"fanfarrear", característica essencial nesse jogo
de cartas. Nem perca seu tempo em nos mostrar
suas cartas: nós temos um *Royal Straight Flush!*

**895**

Em 10 bilhões de anos a duração de cada dia
e cada noite na Terra será igual a quase 50 dias
atuais. Isso vai acontecer porque nosso planeta
tende a girar cada vez mais lentamente.

**896**

No Egito Antigo os sacerdotes faziam
a barba e tiravam todos os pelos do corpo,
inclusive as sobrancelhas e os cílios.

**897**

**OS DESENHOS DE SARAH KAY FORAM CRIADOS
POR UMA AUSTRALIANA CHAMADA... SARAH KAY!**

**898**

O verdadeiro nome do cantor Ricky Martin
é Enrique José Martín Morales.

**TODOS OS ANOS MAIS DE UM MILHÃO
DE TERREMOTOS ASSOLAM A TERRA.**

A maior pedra de granizo já registrada caiu
em junho de 2003, em Nebraska (EUA), e media
17,78 centímetros de diâmetro. Ainda bem que
não caiu na nossa cabeça!

Em outubro de 1999, um iceberg do tamanho
da cidade de Londres (77 quilômetros de
comprimento e 38 quilômetros de largura)
desprendeu-se das geleiras da Antártida.

A *Taenia saginata*, parasita que se aloja no intestino
humano, também conhecida como solitária,
pode chegar a 23 metros de comprimento.

Os dinossauros desapareceram antes de as
montanhas Rochosas (Estados Unidos)
e os Alpes (Europa) se formarem.

Quando uma pulga pula, seu índice
de aceleração é 20 vezes superior ao do
lançamento de um ônibus espacial.

A ameixa *kakadu*, da Austrália, é a fruta
com mais vitamina C em todo o planeta.
Agora, uma fruta com esse nome, vai saber
que gosto de "kaka-du" que tem...

Os astronautas não podem arrotar,
porque a falta de gravidade não permite
a separação de líquido e gás no estômago.

Um milionésimo do milionésimo do milionésimo
do milionésimo do milionésimo de segundo
depois do Big Bang, o universo tinha o tamanho
de uma ervilha.

O DNA (ácido desoxirribonucleico)
foi descoberto em 1869 pelo biólogo suíço
Johan Friedrich Mieschler.

### 909

Em 1592, o físico e astrônomo italiano
Galileu Galilei inventou o primeiro termoscópio,
precursor do termômetro. Não sabemos onde
o enfiou para testar se funcionava; por via das
dúvidas, melhor nem imaginar.

### 910

O prêmio Nobel de Física foi concedido a Wilhelm
Röntgen pela descoberta do Raio X, em 1901.

### 911

**UMA CÉLULA SANGUÍNEA LEVA 60 SEGUNDOS
PARA COMPLETAR SEU PERCURSO PELO CORPO.**

### 912

A árvore mais longeva do planeta se encontra
na província de Dalarna, na Suécia. É um abeto
vermelho de 9.550 anos. E não usa bengala!

### 913

Uma enguia elétrica pode gerar uma descarga
de até 600 volts, que ela utiliza para caçar presas,
defender-se ou comunicar-se com outras enguias.

A comunicação sem cabos experimentou
um grande avanço em 1962, com o lançamento
do Telstar, primeiro satélite capaz de retransmitir
sinais de telefone, televisão e dados
de comunicação em alta velocidade.

Os primeiros produtores de vinho
viveram no Egito, por volta de 2300 a.C.

**O UNIVERSO TEM MAIS
DE 100 BILHÕES DE GALÁXIAS.**

Christiaan Barnard fez com sucesso
o primeiro transplante de coração em 1967.

A baleia jubarte produz um som
que pode ser escutado a 926 quilômetros
de distância.

**919**

UM QUARTO DAS ESPÉCIES VEGETAIS
ESTARÁ EM RISCO DE EXTINÇÃO EM 2010.

**920**

Cada pessoa perde mais de 18 quilos
de pele ao longo da vida. Você poderia fazer
vários casacos... com a sua própria pele!

**921**

As maiores galáxias têm mais
de um trilhão de estrelas.

**922**

O CORPO HUMANO TEM 96 MIL QUILÔMETROS
DE VASOS SANGUÍNEOS.

**923**

Uma pessoa transmite mais germes
dando a mão que beijando.

**924**

A VELOCIDADE MÁXIMA QUE
UMA GOTA DE CHUVA PODE ATINGIR
É DE 28 QUILÔMETROS POR HORA.

## 925

A baleia-cinza percorre mais
de 23 mil quilômetros durante sua migração anual
de ida e volta do oceano Ártico até o México.

## 926

As malas Samsonite têm esse nome por causa
de um homem forte da Bíblia que simboliza
"força e durabilidade": Samson (Sansão).
E depois de mamãe arrumá-las para as férias,
aí sim, é preciso ser Sansão para carregá-las.

## 927

Cerca de mil bilhões de neutrinos oriundos do sol
atravessarão o seu corpo enquanto você estiver
lendo esta frase. Sorte que não fazem nada...

## 928

**OS QUASARES SÃO OS CORPOS CELESTES
MAIS DISTANTES DO UNIVERSO.**

## 929

O foguete Saturno V, que levou o homem
à Lua, alcançava uma potência equivalente
a 50 aviões Jumbo 747.

**NA FRANÇA, O MANDATO
DO PRESIDENTE É DE SETE ANOS.**

As estrelas de nêutrons são tão densas
que uma única colherinha delas seria mais pesada
que toda a população terrestre.

Um, entre cada dois mil bebês, já nasce com um
dente. Além de mamar, esses bebês precisam
comer um cheesebúrguer duplo todos os dias.

A cada hora o universo expande mais de um
bilhão de quilômetros em todas as direções.

Mesmo viajando na velocidade da luz,
levaríamos dois milhões de anos para chegar
à galáxia grande mais próxima, Andrômeda.

O primeiro filme *O Exterminador do futuro* foi dirigido
por James Cameron, o mesmo diretor de *Titanic*.

**936**

**A PROBABILIDADE DE UM METEORITO CAIR SOBRE UM SER HUMANO É DE UMA VEZ A CADA 9.300 ANOS.**

**937**

O lugar habitado mais seco do mundo
é Assuam, no Egito, onde a média anual
de chuvas é de 50 milímetros.
Um péssimo lugar para vender guarda-chuvas.

**938**

As maiores crateras de meteorito do mundo
estão em Sudbury, no estado de Ontário (Canadá),
e em Vredefort (África do Sul).

**939**

O escritor Franz Kafka é autor de *A metamorfose*,
livro no qual o personagem acorda transformado
em uma barata. Que louco!

**940**

Em 1850 a velocidade máxima
dos meios de transporte chegava a 60 quilômetros
por hora. Hoje os astronautas superam
40 mil quilômetros por hora.

**941**

O maior dinossauro já descoberto foi o
seismossauro, que media mais de 30 metros de
altura e pesava mais de 80 toneladas. Ele usava
roupa tamanho GGGGGGGGG!

**942**

No século 14 a peste negra acabou com a vida
de 75 milhões de pessoas. As pulgas do rato-preto
eram as transmissoras da doença.

**943**

**O OLFATO DE UM CACHORRO É MIL VEZES MAIS
SENSÍVEL QUE O DOS HUMANOS. ENTÃO, NÃO VÁ LATIR
NA CARA DO SEU CACHORRO.**

**944**

Nosso planeta tem 510 milhões de metros
quadrados, dos quais 361 milhões estão ocupados
pela água. Não teremos escolhido o nome errado?
E se em vez de Terra o chamássemos
de planeta Água?

**945**

**A CAIXA PRETA DOS AVIÕES NÃO É CAIXA NEM É PRETA.
É UM CILINDRO ALARANJADO!**

**946**

OZZY OSBOURNE, CANTOR INGLÊS,
FEZ PARTE DA BANDA DE ROCK BLACK SABBATH.

**947**

O baiacu, ou peixe-balão, infla
a barriga ao se sentir ameaçado.
Não vá pensar bobagens!

**948**

O PRIMEIRO FILME EM QUE ANGELINA JOLIE
ATUOU FOI *CYBORG 2*, EM 1993.

**949**

Calcula-se que as reservas de petróleo
esgotarão antes de 2050. Mas não se preocupe,
pois até lá as pessoas já estarão batendo seus
carros elétricos na rua.

**950**

Em nossa galáxia, a Via Láctea, há cerca
de cem bilhões de estrelas. Como muitas estrelas
da televisão, as da Via Láctea também são
difíceis de serem vistas.

**951**

Há três versões cinematográficas da história do King Kong. Em todas, ele morre. Pobre macaco, não tem sossego nem no filme?

**952**

O CHAMADO GELO-SECO É DIÓXIDO DE CARBONO CONGELADO, USADO PARA REFRIGERAÇÃO.

**953**

As vacas têm quatro estômagos. Se também tivéssemos quatro, quantos sanduíches a mais poderíamos comer?

**954**

Existe um peixe, parecido com o atum, que é chamado de bonito. O que tem de bonito? Não sabemos, mas que é gostoso é!

**955**

O GENIAL ORGANISTA E COMPOSITOR ALEMÃO JOHANN SEBASTIAN BACH TEVE 20 FILHOS.

**956**

O corredor brasileiro de Fórmula 1 Nelson Piquet ganhou três campeonatos mundiais da categoria.

**957**

O VERDADEIRO NOME DO JOGADOR DE GOLFE
"TIGER" WOODS É ELDRICK.

**958**

Desde a invenção da primeira locomotiva até a
invenção do avião supersônico passaram-se 130 anos.

**959**

Charles Perrault foi o primeiro a incluir
a história de *Chapeuzinho Vermelho* em um livro
de contos, em 1697. Antes disso, a fábula era
transmitida oralmente.

**960**

O fêmur é um osso mais duro que concreto.
Vamos erguer edifícios com fêmures, então!

**961**

O SEGUNDO NOME DA ATRIZ CAMERON DÍAZ
É MICHELLE.

**962**

O violão é o instrumento
mais usado em gêneros musicais como
o blues, o rock e o flamenco.

**O PERSONAGEM MAIS FAMOSO DO *POKÉMON* É O *PIKACHU*.**

Existem apenas três animais que têm língua azul:
o cachorro *chow-chow*, o lagarto língua-azul e o
urso-negro. E nenhuma delas foi pintada!

O homem é descendente do macaco.
Que sorte que não viemos dos porcos... embora
alguns de nós, pode ser que tenham vindo...

A palavra *jeep* vem da abreviação utilizada
pelo exército americano de veículo
*for General Purpose* (GP).

Em cinco bilhões de anos, o Sol ficará
sem combustível e se transformará em algo a que
se dá o nome de "Gigante Vermelho".

**CERCA DE CEM RAIOS CAEM NO
PLANETA TERRA A CADA SEGUNDO.**

Se o Sol fosse do tamanho de uma bola de praia,
Júpiter teria o tamanho de uma bolinha de golfe
e a Terra seria do tamanho de uma ervilha.

A camiseta do time *Boca Juniors*,
da Argentina, é azul com uma faixa amarela
horizontal. Às vezes é amarela com uma
faixa azul. Isso é porque os fundadores
do clube, há mais de 100 anos, foram ao porto,
decididos a escolher para a camiseta
as cores da bandeira do primeiro barco que
passasse. Como foi um navio sueco,
as cores são o azul e o amarelo (ouro).

O *Grand Canyon* do Colorado, nos Estados Unidos,
ocupa um espaço de 1.854 quilômetros cúbicos.
Apesar de ser tão grande, este "cânion"...
não dispara nenhuma bala.

**10% DOS SERES HUMANOS DE TODOS OS TEMPOS
ESTÃO VIVOS NESTE EXATO MOMENTO.**

**973**

Harrison Ford foi o protagonista
dos quatro filmes *Indiana Jones*.

**974**

O goleiro mexicano Antonio Carbajal
foi o primeiro jogador a participar de cinco
Copas do Mundo. De 1950 a 1966.

**975**

**UM SENADOR É MAIS QUE UM DEPUTADO,
APESAR DE QUE EM MUITOS PAÍSES HAJA MAIS
DEPUTADOS QUE SENADORES.**

**976**

Em 1979, o grupo Pink Floyd lançou o álbum
*The Wall* (A parede). O disco vendeu tanto que seus
integrantes investiram o dinheiro em tijolos e
puderam levantar as paredes de suas casas.

**977**

O primeiro nome da cidade de Tóquio,
no Japão, foi Edo. Era ótimo porque dava para
rimar com medo, dedo e outras palavras
terminadas em "edo".

## 978

Na corte dos Áustrias, era proibido
um homem tocar a rainha. Então, se a rainha
caísse ou sofresse um acidente, tinham que
esperar o rei para levantá-la. Bom, se o rei
estivesse em outro país... deixavam-na largada
no chão durante semanas.

## 979

O RIO DANÚBIO, NA EUROPA, DESEMBOCA NO MAR NEGRO
(QUE NÃO É TÃO NEGRO ASSIM, SÓ MEIO CINZENTINHO).

## 980

O esqueleto humano representa
pelo menos 20% do peso total do corpo.
Já o cérebro de alguns primos... apenas 0,1%.

## 981

A capital do sultanato de Brunei Darussalam,
na Ásia, é Bandar Seri Begawan. Será que não
tinha um nome maior para inventarem?

## 982

O *rugby* e o futebol americano são jogados
com uma bola oval. Com uma bola quadrada
seria ainda mais difícil...

### 983

O famoso pintor Peter Paul Rubens
nasceu na cidade alemã de Siegen. No entanto,
não sabemos onde nasceu o pintor da esquina da
sua casa, que pinta paredes.

### 984

Os raios matam mais pessoas que
as erupções vulcânicas e os terremotos.
Se você vive ao lado de um vulcão, não se
preocupe... desde que não haja raios.

### 985

O dramaturgo grego Aristófanes escreveu a obra
*As tesmofórias*. O que são "tesmofórias"?
Pergunte para a sua professora!

### 986

**O TECIDO DAS GENGIVAS NÃO SE REGENERA.
MAIS UMA RAZÃO PARA ESCOVAR OS DENTES!**

### 987

Pancho Villa, herói da Revolução Mexicana,
chamava-se José Doroteo Arango Arámbula.
Mais fácil ficar com Pancho Villa.

**988**

O melhor atacante da Copa de 1978 – que
aconteceu na Argentina – foi Mario Kempes,
que fez seis gols.

**989**

A ilha da Tasmânia pertence à Austrália.
Onde fica a Tasmânia? Ah, pergunte aos
australianos... ou ao diabo da Tasmânia.

**990**

O filme *Nunca fui beijada (Never Been Kissed)*
foi protagonizado por Drew Barrymore, uma garota
que muitos gostariam de beijar.

**991**

**CARLOS GARDEL É CONSIDERADO O CANTOR
DE TANGO MAIS IMPORTANTE DE TODA A HISTÓRIA.**

**992**

O disco mais vendido do grupo Green Day foi o
*American Idiot*. Não traduziremos o nome do
álbum, porque seria muito "idiot" fazer isso.

### 993

Nicolau Copérnico foi um grande astrônomo polonês, e um dos primeiros a afirmar que a Terra girava ao redor do Sol (porque antes disso acreditavam em cada bobagem...).

### 994

Muhammad Ali é considerado o melhor boxeador de todos os tempos. Se você dissesse o contrário talvez levasse uma porrada.

### 995

A seleção de futebol da Dinamarca é conhecida como "Dinamite Dinamarquesa". Mas quando perde um campeonato, parece que estava com a dinamite molhada.

### 996

A capital do país africano Burkina Fasso é Uagadugu. Sabe como se diz "bafo" em Uagadugu?
*Tu fedô me tomba.*

### 997

**O SINÔNIMO DE DIÉRESE É TREMA.**
**EI, PARA, NÃO É PARA TREMER, CABEÇÃO!**

**998**

O rio mais bondoso de todos os tempos
é o rio São Francisco

**999**

O nome do ator que representa o Harry Potter nos
filmes é Daniel Radcliffe. Esse moleque deve estar
nadando em dinheiro! E sem ser bruxo!

**1.000**

O comediante Groucho Marx disse:
"Para mim, a televisão é muito educativa.
Cada vez que alguém liga, eu saio e vou para outro
lugar ler um livro". Como você, que está lendo
este livro em vez de ver televisão. Parabéns!

**SUA OPINIÃO É MUITO IMPORTANTE!**
Mande um e-mail para
opiniao@vreditoras.com.br com o
título deste livro no campo "Assunto".

Conheça-nos melhor em
**www.vreditoras.com.br**
facebook/vreditorasbr